シリーズ●地方史はおもしろい01

日本の歴史を解きほぐす

――地域資料からの探求

◉目次

第2部 資料を読み込むのはおもしろい

※本書では引用に際して、原文を損なわない範囲で表記を変更、振り仮名および句読点、清濁を整えた。

シリーズ刊行にあたって

地方史研究協議会　会長　廣瀬良弘

地方史研究協議会は、二〇二〇年に創立七〇周年を迎える。これを期して書籍刊行の企画が検討された。全国各地で保存されてきた地域の資・史料を学術的にアピールするための企画である。

日本全国の文化財は、国の指定文化財として国宝・重要文化財があり、都道府県の指定文化財もあり、さらに市区町村の指定文化財もある。このうち都道府県や市区町村の指定文化財は、各自治体が地域にとって重要であると考える資・史料を指定文化財として保存・公開している。しかしながら、自治体が指定した文化財をその自治体以外の人々が知る機会はそう多くはない。全国の博物館やその他の保存機関などには、限られた研究者のみしか利用されてこなかった資・史料も存在している。

これまで全国の文化財行政に携わる人々や研究を志す人々などによって、資・史料の調査や保存活動が地道に行われ続けてきた。そうした人々の努力により、今後も将来にわたり、歴史的に価値のある資・史料が保存・公開され続けていく。一方で近年、地震や台風、火災などで地域の資・史料が被災し、損失している。地域の資・史料の地道な保存活動は、多くの人々の理解があってこそ成立する。そのためには、地域の資・史料のもつ情報の凄さを広く知ってもらいたいと考える。

本企画は、知名度はかならずしも高くないものの、地域を考えるうえで重要な資・史料に焦点をあてて、学術的なその面白さを広めるシリーズ企画である。題して『地方史はおもしろい』である。資・史料が地域の歴史のなかでどのような意味を持っているのか。また、資・史料からどのような人々の営みやさまざまな情報を読み取ることができるのか。地域で保存され、伝えられてきた資・史料をもとに地域の歴史にスポットをあてていく。

多くの方々が本シリーズの各書をお手に取り、地域の歴史のおもしろさを身近に感じていただきたい。

地域に残された資料からなにがわかるのか――本書の歩き方

地方史研究協議会　会長　廣瀬良弘

本書「日本の歴史を解きほぐす―地域資料からの探求―」は、地方史研究協議会編のシリーズ本、『地方史はおもしろい』の一冊めとして刊行します。本来は、対象地域を絞り、何らかの小テーマを設定するところではありますが、第一冊は、その前提として、地域を絞らずに構成しました。地域に残された資料から語ると、日本各地のどのようなことがわかってくるのか、地域資料に向き合ってきた新進の研究者がそれぞれの資料のおもしろさをふんだんに伝えます。

目次をご覧になって、気になるところから読みすすめられてもよし、関心のあるテーマごとに読みすすめられてもよし、どの論考も歴史に興味を持たれている方なら、引き込まれること間違いなしの文章に仕上がっています。

ここでは、各論考の要所を簡単に紹介します。ただし、核心の資料のおもしろさは、それぞれをお読みいただかないとわかりません。是非ともページをめくりながら、地域資料のおもしろさ・日本の歴史の奥深さを味わっていただきたいと思います。

1「面白い研究をするには―将軍家鷹場鳥見と彦根藩世田谷代官―」（山﨑久登）では、東京都世田谷区（現、目黒区を含む）を歩き、実感したことに古文書から検討を加えました。江戸幕府八代将軍徳川吉宗《とくがわよしむね》は、幕府領・旗本領・寺社領・大名飛地領などが混在する江戸周辺地域を一元支配するために、各地域に鷹場《たかば》（将軍家鷹場）を設けました。鷹場を管理する鳥見《とりみ》の役所、駒場御用屋敷（目黒区大橋）と彦根藩世田谷領の代官屋敷（世田谷区世田谷）の至近距離に着目し、一元支配とはいえ、単純ではない両者のやり取りの実態を明らかにします。

2「江戸周辺地域の長屋門―郊外化のシンボル―」（野本禎司）では、現在でも旧家などに見られる長屋門《ながやもん》に注目しています。本来、江戸時代の長屋門は大名・旗本などの武家屋敷に設けられた門形式の一つです。それが、江戸時代後期には江戸周辺の名主層の屋敷にも広がっていきます。武蔵国多摩郡下井草村（東京都杉並区）を事例に、高家旗本今川家を財政的に支援する名主層の社会的地位の変化（武士身分）などとの関連で、身分の違いを示す長屋門のシンボル的な意味を解説します。

3「「河川台帳」に遺されていた幻の中世城郭を追う」（新井浩文）では、現在では全貌がわからない中世城郭の復元を試みます。河川を利用して築城した中世城郭の多くは、現代の河川工事によって全貌を知ることができません。そうした城郭を明治二十九年（一八九六）施行の河川法によって作成された「河川台帳実測図」（埼玉県立文書所蔵）によみとり、「埼玉県内渡良瀬川平面図第六号」を活用し、そこに記載された城郭が現在では遺構を残していない古河公方《こがくぼう》の柏戸《かしわど》城であった可能性を指摘します。

4「蔵からのぞくまつりの文化―日光・弥生祭付祭の御幸町万度―」（山澤学）では、元禄十四年（一七〇二）から始まったとされる日光二荒山《ふたらさん》神社の祭礼である弥生祭《やよいさい》の際に繰り出される「万度《まんど》」（山車）についての考察です。栃木県日光市御幸町《ごこうまち》の町内蔵《ちょうないぐら》の調査によって発見された「万度」を復元し、明治期に電線などの整備が進んだことなどによって現在ではみられなくなってしまった同地域の華やかな祭文化の一端を紹介します。

5「行徳塩浜と「災害」―水の管理をめぐって―」（菅野洋介）では、千葉県浦安市行徳《ぎょうとく》地域を事例に江戸時代の災害、とくに水害について検討を加えています。海岸線沿いの地域の災害といえば津波などの海からの被害が想定されますが、河口近くの村々にとっては、河川の氾濫も重大な被害でした。とくに塩を採取している地域にとっては、塩山が真水に浸かることによる損害が大きく、江戸時代の河口近辺の村々の水の管理のあり方を指摘します。

6「「御札」から読み解く秋田藩の山林―山林管理のユニークな制度―」（芳賀和樹）では、出羽国秋田藩領による山林管理の制度を紹介しています。秋田藩では、村人の利用を厳しく制限した「御札山《おふだやま》」と呼ばれる山林がありました。しかし、利用を制限されるはずの「御札山」に指定してほしいと村人の方から願い出る例があり、それは、他の村々による盗伐などの被害にあわないように、藩による保護を期待してのものでした。一見すると藩による上から下への厳しい支配制度のなかに、一方的な面だけではなく、村にとってのメリットを読み取ります。

7「下総と武蔵の埴輪―ふたつの地域でつくられた埴輪をもつ古墳―」（鬼塚知典）では、埼玉県春日部市所在の塚内《つかない》古墳群出土の円筒埴輪の分類について、地域的特徴という視点で検討を加えています。同古墳群からは、「下総《しもうさ》系」「武蔵《むさし》系」という二系統の円筒埴輪が同時代のものとして出土しています。塚内古墳群は、いわゆる武蔵国に所在し、同古墳群の眼下には、古隅田川が流れていました。同じ場所から二系統の円筒埴輪が出土する、他には見られないこの事例を河川を利用した地域間交流という視点から解き明かします。

8「浅草寺の西仏板碑―中世における家族の供養―」（伊藤宏之）では、浅草寺（東京都台東区）出土の板碑《いたび》から中世における死者供養のあり方に言及しています。「板碑」は、関東地方にみられる石造供養塔で、なかでも埼玉県秩父郡・比企郡産出の「緑泥片岩《りょくでいへんがん》」を用いたものは、「武蔵型板碑」と呼ばれています。浅草寺出土の「武蔵型」に属する西仏《さいぶつ》板碑の形状・図像・銘文などから、中世浅草寺周辺地域の「有徳人《うとくにん》」（富裕層）の存在を浮かび上がらせます。

9「借用証文の読み方―村のリアルな金融事情―」（荒木仁朗）では、江戸時代の借金事情がわかる古文書を紹介しています。借金の証文である借用証文を読み込み、同じ借主で、なおかつ同じ貸主との間での借用証文が短期間に何度も作成されている事実に注目し、そこから少額の貸借が何度も繰り返されているという村におけるリアルな金融事情を述べています。

10「千葉県庁に伝来した文書の謎」（平野明夫）では、千葉県庁で発見された同県に所在する朱印状の伝来について考察しています。寺院に対して徳川将軍が発給した朱印状は、江戸幕府が寺社の所領を保証するものでした。新たな秩序作りのため、明治新政府はこれらの文書の収公を命じます。江戸時代の寺社奉行所は、明治期に寺社裁判所となり、朱印状の提出先になります。しかし、新政府もまだ盤石ではなく、法令・制度などが急に変更になり、そのため提出先がわからなくなってしまった文書がどうなったのかを紐解いていきます。

11「能登の仏事の一齣―加賀藩主前田家の権威―」（生駒哲郎）では、石川県能登半島の寺院、高野山真言宗白雉山金蔵寺《はくちさんこんぞうじ》（石川県輪島市町野《まちの》町所在）に伝わった『大般若経《だいはんにゃきょう》』六〇〇巻と同教典を用いた大般若経会《だいはんにゃきょうえ》という年中行事について述べています。これらの経典に、加賀藩主前田宗《むね》辰《とき》の武運長久を母浄珠院《じょうじゅいん》が祈願する内容の墨書がみられることから、神仏習合を説く経典の功徳だけではなく、同地域における加賀藩主前田家の権威についても言及しています。

12「長崎阿蘭陀通詞本木家のアイデンティティ―史料を探す楽しみ―」（鍋本由徳）では、江戸時代にオランダ通詞《つうじ》を務めた本木家の由緒書《ゆいしょがき》を検討しています。天和二年（一六八二）にオランダ商館長は、江戸城において将軍徳川綱吉《つなよし》と長子徳松に謁見し、本木庄太夫《もとぎしょうだゆう》は、その通訳として江戸参府に随行しました。由緒書に記載された本木庄太夫の事蹟から、謁見の際、徳松がオランダ人の舞踏を所望したという逸話を紹介し、由緒書の内容が家のアイデンティティとして代々伝えられていくことを指摘しています。

13「**偶然ではない必然―高山彦九郎と羽黒修験―**」（**原淳一郎**）では、江戸時代後期の尊王思想家として知られる高山彦九郎の出羽三山参詣を通して、羽黒山《はぐろさん》・月山《がっさん》・湯殿山《ゆどのさん》をめぐる宗派の勢力争いと、現地での宗派を超えた活動を検討しています。江戸時代、羽黒山・月山は天台宗（江戸寛永寺末）、湯殿山は真言宗が管轄していました。羽黒修験に属する修験者が湯殿山で活動することもみられ、一見すると矛盾するような宗派の混在状態を日本の宗教文化の特質であると指摘します。

14「**ワッパ騒動の裁判と法―庄内の維新―**」（**長沼秀明**）は、「ワッパ騒動」に関する史料の紹介をしています。「ワッパ騒動」は、明治六年（一八七三）末から同十二年十二月まで山形県庄内地方で起った一揆です。「ワッパ騒動」のなかで、多数の農民たちの実力闘争を中央政府への訴願闘争へと導いた森藤《もりとう》右衛門《えもん》に焦点をあてています。

15「「**山国隊**」**隊名をめぐるあれこれ―誰が名づけたのか・何と読むのか―**」（**吉岡拓**）では、戊辰戦争の官軍に加わるため、山国（現在の京都市右京区京北地域）から八〇余名が出陣した、いわゆる「山国隊」に関する新知見を披露しています。戊辰戦争の時、武士ではない身分の者からなる草莽隊が結成されて、なかでも山国隊は比較的著名な隊です。しかし、「山国隊」という隊名を誰が名づけて実際にどう呼ばれていたのか、諸説ある読みについて、関連史料を読み込んで、その根拠を解説していきます。

16「写真絵葉書にみる風景へのまなざし――一九三〇年代の土浦と創造された景観――」（萩谷良太）では、写真絵葉書から近代茨城県土浦市の景観の変遷を検討しています。上流が桜の名所だったことからその名がついた桜川は、茨城県桜川市を水源とし、土浦で霞ケ浦に注ぎ込みます。土浦にも桜が植えられるようになり、遊覧都市として変貌する土浦の景観を「写真絵葉書」から探り、歴史資料としての活用方法なども述べています。

17「筆子塚から読み解く庶民教育」（工藤航平）では、筆子塚《ふでこづか》から庶民教育（寺子屋）の実態を探ります。筆子塚とは、寺子屋などの手習塾で弟子らが亡き師匠のために建立した墓碑です。筆子塚には、師匠の来歴や弟子らの名前などが刻まれ、古文書などからは得られない情報を知ることができます。筆子塚から庶民教育の実態を探り、知られていない筆子塚が現在でもまだ地域に存在していることを指摘しています。

18「お江戸のキャラクター――幕末風刺画の「判じ物」から「戯画物」への転換――」（富澤達三）では、水野《みずの》忠邦《ただくに》による天保改革（一八三〇～四三）で、ぜいたく品とされて禁止された錦絵（多色摺の浮世絵版画）をとりあげています。あの手、この手で禁止の目をかいくぐる錦絵の技法の変化に注目します。主に考察の対象とするのは、浮世絵師の歌川国芳《うたがわくによし》です。本来の意味を隠す「判《はん》じ物」や、風刺化させた「戯画物」などの錦絵の新展開を解説しています。

19「『足利持氏血書願文』を一緒に読もう―鎌倉地域の中世文書を教材化する試み―」（風間洋）は、古文書を教材に用いた歴史授業の実践レポートです。その授業は教科書にも登場する鎌倉公方《かまくらくぼう》足利持氏《もちうじ》の永享六年（一四三四）三月十八日付願文《がんもん》の複製を用いて、くずし字・花押《かおう》（サイン）・紙質などを授業を受ける生徒の興味関心を引き出すように解説しています。勤務地ゆかりの古文書の選び方、地域を意識した授業の進め方など、教材としての古文書の活用方法を例示しています。

本書は、当会、地方史研究協議会がまさに七〇周年にあたる年に、刊行されることになりました。シリーズ本の第一号ですから、これから各地で、その地域ならではの地域資料を題材に取り上げた書籍も出版する予定です。地域資料から日本の歴史を読み解きほぐすと、さらに歴史がおもしろく、また現代社会もその先に見えてきます。本書を読まれた皆様が、各地域に残された資料や歴史的な事柄を通して、お住まいの地域や日本の将来を考える手がかりにしていただきたいと考えます。

第1部　地域を歩くのはおもしろい

1

とにかく現場を歩く

面白い研究をするには

——将軍家鷹場鳥見と彦根藩世田谷代官——

山﨑久登

対象地域

1、はじめに

どんなテーマを研究するかということは、大いに悩む所である。筆者の場合は、江戸時代の鷹《たか》場《ば》制度を研究しているが、それは自分が生まれ育った地域の歴史を調べていく中で行き当たったテーマであった。そこで、ここでは、その研究テーマへと至った顚末《てんまつ》や、またその面白さに気づいた史料を一点あげて、一つの事例を示したいと思う。研究テーマの設定に悩む若い人たちに何ほどかの参考になればと思い、筆をとった次第である。

2、江戸周辺地域はどんな場所か

大学三年生になった筆者は、漠然と自分が生まれた地域のことを調べてみようと思っていた。筆者の生まれは東京都世田谷区で、そこで約三〇年を過ごした。現在は東京都の教員として区部・

多摩地域・伊豆諸島と目まぐるしく勤務先が変わり、色々な場所に住んでいるのであるが、青少年時代は世田谷から動くことはなかった。

そうした中で、高校時代より、どうにも不思議に思うことがあった。それは、幕末の大老井伊《いい》直弼《なおすけ》の墓と、吉田松陰《よしだしょういん》の墓がともに世田谷の地にあり、かつ、その二つの墓が大変近くにあるということだ。井伊直弼の墓は豪徳寺《ごうとくじ》にあり、同寺は井伊家の菩提寺である。井伊家墓所は、国指定史跡になっている。一方で吉田松陰の墓は現在、松陰神社になっており、そこには桂太郎《かつらたろう》や広沢真臣《ひろさわさねおみ》などの墓もあり、長州の聖地のようになっている。実際に歩いてみるとわかるのだが、この豪徳寺から松陰神社までは七〇〇メートルくらいしかない（次頁の関係図参照）。二人は言わずと知れた、安政の大獄の実行者と被害者の間柄。なぜ、それぞれ故郷でもないこの世田谷の地に眠っているのか。私の歴史研究の原点であった。

この二つの墓の謎はやがて氷解した。井伊直弼の墓がそこにあるのは、彦根藩の飛地領としての世田谷領があり、その中に同家の菩提寺があったことによる。また吉田松陰の墓がそこにあるのは、長州藩の抱屋敷《かかえやしき》（武家等が百姓地において所持している屋敷のこと。なお、次頁の関係図では松平大膳大夫抱地がこの屋敷地にあたる）が若林村（現世田谷区若林）にあったことによる。この狭い世田谷の地に、二つの藩の菩提寺・抱屋敷があることは、大学生の私にはとても不思議に感じられたのである。そこで、大学・大学院で、この江戸周辺地域の特質性を研究してみようと思い立った。

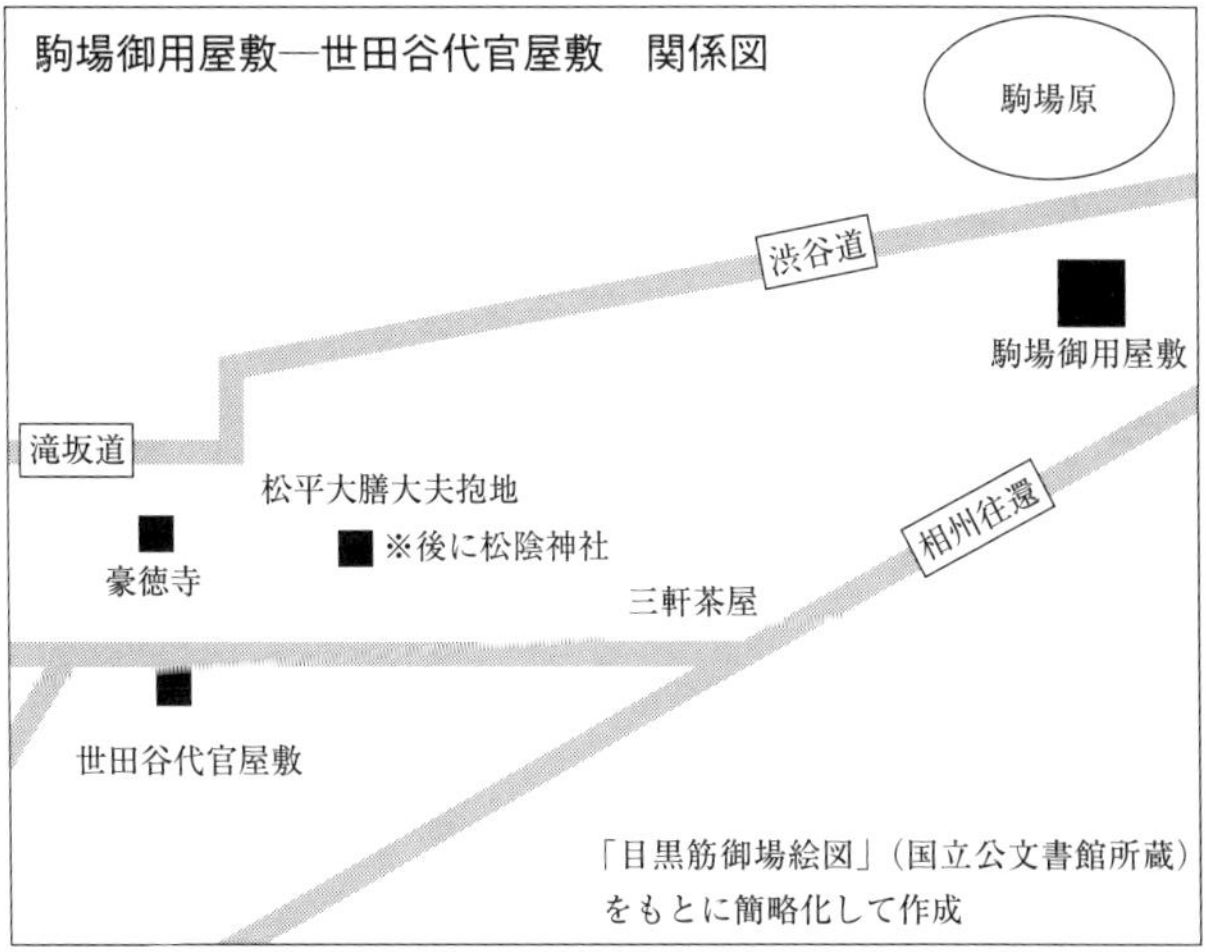

駒場御用屋敷―世田谷代官屋敷　関係図

「目黒筋御場絵図」（国立公文書館所蔵）をもとに簡略化して作成

大学の卒業論文では、世田谷にある太子堂《たいしどう》村（現世田谷区太子堂）という村落を事例に、助郷《すけごう》などの江戸周辺農村が負った夫役《ぶやく》負担を研究した。その中で、辿りついたのが江戸の周辺に広がっていた鷹場《たかば》の問題である。

3、鷹場制度とは何か

鷹場とは、狭義では領主が鷹狩りを行う場所を意味する。ピンポイントとしての鷹場である。それに対して、広義の鷹場は、この狭義の鷹場も含めたより広い領域を指す。その中には、河川や野山、さらに村までも含まれる。なぜ、こうした広義の鷹場が必要とされたかというと、領主による鷹狩りを実行し、またそれを成り立たせるためである。領主が鷹狩りを行うときには、様々な人手が必要になる。たとえば、獲物となる鳥を飛び立たせるための勢子《せこ》人足などがそれにあたる。こうした人足は広義の鷹場の村々から徴発された。また、鷹狩りの獲物を多くするためには、鳥の生息状況を良好にしなければならないが、そのためには、広い領域で環境保全（鳥殺生の禁止など）を行う必要があったのである。このように夫役徴発と環境維持の面から広義の鷹場が必要とされた。

それでは、なぜ江戸周辺に幕府の鷹場（将軍家鷹場）が設定されていたのか。ここで、先にあげた江戸周辺地域の特徴が関係してくることになる。その理由を説明する学説に大石学氏らを中心とした「地域編成論」がある。それは、簡単に言えば、八代将軍徳川吉宗《とくがわよしむね》のもと、江戸周辺地域を鷹場に設定することで、幕府は同地の一元的な支配を目指したとするものである。

江戸周辺地域は、幕府領・旗本領・寺社領さらに大名飛地領などが存在している。これを幕府が一元的に支配しようとすれば、所領をすべて没収し、幕府領にすればよい。しかし、それは天保期に水野忠邦《みずのただくに》が行った上知令《あげちれい》の失敗をみれば分かるように、理由もなく断行すれば大きな反発を受けることは目に見えている。そこで、支配領主は変えずに、その地域を一円的に鷹場に設定するという方法をとったというものである。

鷹場に設定すれば、そこに存在する村々に対して人足徴発を幕府が直接行うことができる。また、鷹場の環境維持を図ることを名目に、怪しい人間などを取り締まることも可能となる。つまり、幕府は鷹場を利用して、「実質的な」一元的支配を目指したというものである。

写真１　駒場御用屋敷跡周辺　（撮影：筆者）

この論は大変刺激的で、大学院入学後の私は、地域編成論の論文を読み漁《あさ》ることになった。また、地元の世田谷を事例に同地の鷹場支配の実態をまとめ、それは修士論文として結実することになる。

この時点では、筆者も地域編成論の視点で地域を眺めていたのである。

4、幕府の役人と藩領代官の関係について

ただ、研究を進める中で、色々とこの地域編成論では説明できないことにも気づいていくことになった。これが私の研究の第二段階である。その一つが、幕府の広域支配と個別領主との関係である。

鷹場による一元的な支配のシステムと、個別領主の知行地支配はどのように調整されていたのか。幕府による一元的支配という言葉には、場合によっては個別領主の支配権を抑えていくようなニュアンスを感じる

写真２　世田谷代官屋敷表門（写真提供：世田谷区立郷土資料館）

が、果たしてそうなのか。

私がこうした感覚を抱くようになったのも、二点を結ぶ線の問題であった。ここで、再び世田谷に目を戻す。世田谷地域は、幕府の鷹場の中に組み込まれている。一方で、所領支配としては、幕府領・旗本領・寺社領や大名領（彦根藩領）が混在していた。ここでいう二点というのは、この彦根藩世田谷領を管轄する代官の屋敷と、幕府の鷹場を管轄する鳥見《とりみ》の役所のことをいう。

彦根藩世田谷領の代官（在地代官）大場《おおば》家の屋敷は世田谷村（現世田谷区世田谷）にあり、現在も一般財団法人大場代官屋敷保存会により主屋《おもや》や門（国指定重要文化財）が保存されている（世田谷代官屋敷は都指定史跡）。この代官屋敷の前の通りは、現在ではボロ市通りとして知られている。

一方の鷹場を支配する鳥見の役所は、駒場御用屋敷

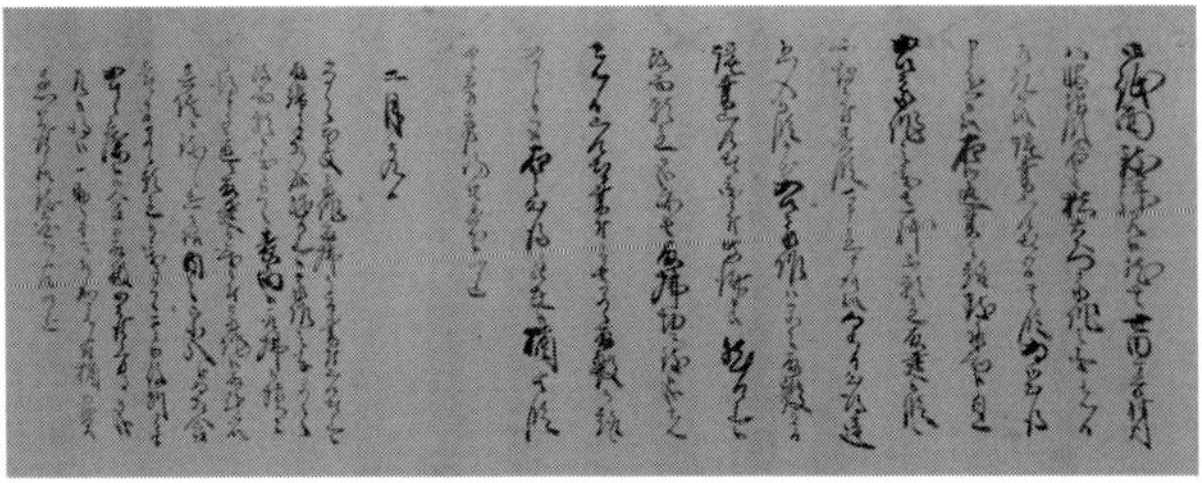

資料１　安政二年「物置無断新築に付取毀し一件書類」の五通目（世田谷代官大場家文書、撮影：筆者）

（現目黒区大橋）の中にあった。鳥見とは、鷹場の維持管理を担った役人で、このうち現場となる鷹場内に居住したものを在宅鳥見という。世田谷地域は目黒筋の在宅鳥見の管轄下にあった。

現在は、世田谷区と目黒区に分かれてはいるが、直線距離にして三・六キロメートルほどである（前掲関係図参照）。歩いても小一時間程だ。これほどの距離であれば、鷹場の支配をめぐって内々の折衝をするようなこともあったのではないか。これは、現場を歩いてみての直感であった。

私は、そうした根拠のない思い付きをもとに、史料を調査していった。対象は、世田谷代官大場家文書（都指定有形文化財／一般財団法人大場代官屋敷保存会所有／世田谷区立郷土資料館受託）である。これを読み込んでいく中で、世田谷代官と幕府の鳥見の関係性を示す史料が色々と出てきたのである。

〔史料〕（世田谷代官大場家文書 四B―二五 安政二年「物置無断新築に付取毀し一件書類」の五通目）

御紙面致拝見《はいけんいたし》候、然者《しかれば》世田ヶ谷村内八幡神領名主猪右衛門家作《かさく》之義先日相糺候処、詫書《わびがき》差出候間其段為御心得《おんこころえのため》申進候処、右御返書之趣致承知《おもむきしょうちいたし》候、且右家作之義者一躰不願立《ねがいたてず》取建候段不埒《ふらち》ニ付其段可申立与《もうしたつべしと》存候処、全ク心得違恐入候段申出、右家作ハ早々取毀候旨詫書差出候義ニ付聞済《ききずみ》申候、然ル上ハ改而願立候哉、亦者取払切ニ致候哉、先先日差出候書付ニ而者早々取毀候趣ニ有之候間、右之心得ニ罷在候、猶此段其答旁得貴意《かたがたきいをえ》候、以上

二月廿九日

尚々本文家作取払候旨書付差出候上ハ取締ニも相成、然ル上ハ家作之義早々改而願候義ニ候ハヽ、表向ハ取払候積《つもり》ニ候得とも直ニ取建候義ニ付家作ハ取計候処、其侭《そのまま》ニ致し遣候様内々宗八江為相含置《あいふくませおき》候間、早々願立候義候ハヽ、其御役所へも右之廉々《かどかど》御含御取扱御座候方ニも候哉、左候得ハ一助ニも可相成与《あいなるべし》奉存《ぞんじたてまつり》、猶御賢慮御座候様致度奉存候、以上

この史料を読み解くには、まず鷹場内における建築物の扱いについて語らなくてはならない。鷹場内にある家作については、それを改築したりする度に鳥見の許可を得る必要があった。その理由は、建物が変化することにより、鳥の居着きが変わるからである。理不尽な話のように聞こえるが、鷹場内においては、あくまでも鷹狩りが円滑に行われることが第一なのだ。そして、この許可申請は、村から鳥見に対して出されるが、大名領などの私領の場合は、領主が添翰《そえかん》を記す

ことになっていた。添翰とは、この申請に添えて進達された口上書のことをいう。

そこで、この文書である。彦根藩世田谷領にある建物については、村から鳥見に提出するときに、世田谷代官が添翰を記す。世田谷村というのは彦根藩領の村であるが、その中に世田谷八幡の社領がいくらかあった。日黒筋の鳥見・原金次郎《はらきんじろう》は、この神社領の家作申請についても、同じ世田谷村内のことということで、世田谷代官が取り扱っていると認識していたのである。

最初の部分では事件の経過について記されている。これによれば、世田谷村の八幡神社領に住む百姓猪右衛門は、村を通して鳥見に届を出すことなく、家作を建ててしまった。そのことを鳥見より咎《とが》められ、取り壊すことになった。そのうえで、鳥見は世田谷代官に対して、改めて家作建築の願いを出すのか、そのままとするか意向を確認している。そのうえで、奥書の部分には興味深いことが書かれている。

それによれば、もし当人猪右衛門が許可を得て直ぐ建て直すつもりであるならば、今ある家作を取り壊さず、表向取り壊したことにして存続させるよう世田谷村名主の宗八に内々で指示している。そしてこの旨を大場も了解するよう伝えている。

ここから、まず証文の提出など形が整えられ、取締りを行うことができれば、建物を存置してよいとする鳥見の方針を窺い知ることができる。鳥見による鷹場支配といっても、このような柔軟性を持つものであった。そして、更に興味深いのは、こうしたことを内々に世田谷代官と相談しているということなのである。

本一件は、藩領外の家作取締であるが、それを彦根藩世田谷代官に取調を鳥見が打診し、またその後の取締の実態を逐一代官へ報告している点が大変重要であろう。鳥見による家作取締においても、当該地域においては世田谷代官である大場家との連携のもとに進められていたことが読み取れる。

このような史料を得て、江戸幕府による鷹場支配も、個別領主との関係なしに成り立ちえないことが明らかになった。幕府の意図としては、一元的な支配をしようとしていたかもしれないが、現場レベルでは、鳥見と藩領在地代官との間で打ち合わせをしたうえで取締りにあたるなど、協調して行っていたのである。

5、おわりに

以上、雑駁《ざっぱく》ながら、筆者が生まれ育った地域について、どのように問題関心を持ち、それを培っていったのかを記してみた。それは、論文の「はじめに」で書く研究史上の意義とは異なり、自分の直感や、現場地域を歩く中で、育ってきたものである。

今回取り上げたような史料に出会うことができたのも、世田谷代官屋敷と鳥見役宅の近さなど、実際に現地を歩いて感じていたことが重要であったと思う。ただ、漫然と史料と向き合っているだけでは、本当に面白い研究はできないと感じる。よい史料に巡りあうためには、とにかく現場を歩く。それに尽きると思う。

参考文献

・池享・櫻井良樹・陣内秀信・西木浩一・吉田伸之編『みる・よむ・あるく 東京の歴史6地帯編3　品川区・大田区・目黒区・世田谷区』（吉川弘文館、二〇一九年）
・大石学『近世日本の統治と改革』（吉川弘文館、二〇一三年）
・世田谷区政策経営部政策企画課区史編さん編集・発行『世田谷　往古来今』（二〇一七年）
・根崎光男『将軍の鷹狩り』（同成社、一九九九年）
・森安彦『幕藩制国家の基礎構造―村落構造の展開と農民闘争―』（吉川弘文館、一九八一年）
・山﨑久登『江戸鷹場制度の研究』（吉川弘文館、二〇一七年）

2

長屋門建立の歴史的背景

江戸周辺地域の長屋門
――郊外化のシンボル――

野本禎司

対象地域

1、長屋門のある家

長屋門のある家といえば、近世史研究者にとって旧家のシンボルとして理解され、そこにはまだ見たこともない古文書が眠っている研究の宝庫を象徴するものであった。たとえば、青木美智男氏はつぎのように述べていた（青木：一九九二）。

> 近世史研究は、なにがなんでも古文書の字が読めなければはじまらなかった。しかし解読用の参考書は、地方史研究協議会編『近世地方史研究入門』ぐらいしかなかった。そこで古文書にできるだけあたるという、きわめて職人的な学習方法がもっとも有効だということになり、古文書探しに村落に入る。車のない時代だから、足で冬の峠を越え、真夏の盆地をかけめぐる。そして車窓からながめたような、長屋門と土蔵がある農家を探しあてて門をたたく。

朽ちはてたとはいえ長屋門は、かつての名主・庄屋であったことをいまに伝えるシンボルだと教えられていたからである。

これまで近世史研究をはじめ、戦後歴史学はこうした旧家の古文書を発掘し、それを使用することで研究を進展させてきた。しかし、なぜ長屋門が旧家のシンボルと理解されていたのか、その歴史的背景（当該期における社会的意味）については目が向けられてこなかったように思う。

本来、長屋門は、近世の大名・旗本などの武家屋敷に設けられた門形式の一つとされる（玉腰：一九八二）。また、江戸において大名江戸屋敷の表長屋は、屋敷内の空間を最終的に閉鎖する最も重要な境界装置でもあったとされる（宮崎：一九九四）。

こうした武家社会＝都市社会において展開してきた長屋門が江戸周辺地域に設置されていくことの歴史的背景を考えることも必要ではないか。もちろん、地域によっては、中世以来の土豪層が設置していた場合もあるであろうが、小論では、このような問題関心から武蔵国多摩郡下井草《しもいぐさ》村（東京都杉並区）を事例に検討してみたい。

2、江戸周辺地域の百姓主屋と村落景観

江戸時代後期の下井草村は、『新編武蔵風土記稿《しんぺんむさしふどきこう》』（文政十一年〈一八二八〉）によれば、江戸日

本橋から四里《り》（一六㎞）に位置し、東西一五町《ちょう》余、南北一三町の広さで、村内には千川用水《せんかわ》と妙正寺川《みょうしょうじ》が流れ、その周縁を中心に田が二四町余あり、畑は八七町余であった。家数は、『新編武蔵風土記稿』では一〇七軒、天保九年（一八三八）「下井草村家業調査」では一一〇軒あり、うち九九軒が農業だけで生計を立て、残り一一軒が農間渡世《のうかんとせい》を行っていた（冨澤：二〇〇三）。江戸周辺地域の多くは鷹場《たかば》に設定されており、下井草村は御拳場《おこぶしば》（将軍家の鷹場）で御三卿の田安・一橋の御借場となっていた。鷹場に設定されていた村々は、家の建て替えや修復に際して鳥見役所《とりみ》に願い出る必要があり、下井草村ではこの記録が御用留に残されていた。その願書には「居宅立替《きょたくたてかえ》」「柱取替《はしらとりかえ》」「屋根葺替《やねふきかえ》」などの理由とともにその規模が記されており、一九世紀を中心に下井草村百姓の主屋規模がわかる（【表1】参照）。

これによると主屋の面積規模が最も大きいのは新之丞《しんのじょう》で一〇間《けん》（一八ｍ）×五間（九ｍ）、最小は八右衛門で三間（五・四ｍ）×二間半（四・五ｍ）であり、その格差は大きい。他方、下井草村で最も多い主屋の面積規模は五間半（九・九ｍ）×二間半（四・五ｍ）であり、その家主の階層は所持高が一石《こく》から七石である。幕末期（安政二年）の下井草村の階層構成をみると、全一五八家のうち八三家が一～五石に属しており、約五三％にあたる。【表1】において確認した最も多い主屋の面積規模の階層とも重なってくるので、下井草村の住居の多くは五間半×二間半程度であったと考えてよいであろう。

表１　武蔵国多摩郡下井草村百姓の主屋規模

	名前	面積		所持高	修復年代	
1	新之丞	10 間	5 間	35 石	天保 9 年 11 月	1838
2	角右衛門	7 間	3 間半	13 石	天保 10 年 2 月	1839
3	源左衛門	7 間	3 間半	8 石	天保 11 年 2 月	1840
4	源右衛門	7 間	3 間	55 石	寛政 6 年 11 月	1794
5	又兵衛	7 間	2 間半	9 石	天保 10 年 11 月	1839
6	市郎左衛門	7 間	2 間半	7 石	寛政 6 年 9 月	1794
7	藤三郎	6 間半	3 間半	6 石	天保 6 年 2 月	1835
8	七左衛門	6 間半	3 間	13 石	天保 6 年 2 月	1835
9	権重郎	6 間	3 間	2 石	文政 2 年 3 月	1819
10	金兵衛	6 間	2 間半	15 石	文政 12 年 2 月	1829
11	半左衛門	6 間	2 間半	2 石	文化 7 年 2 月	1810
12	弥左衛門	6 間	2 間半	1 石	文政 11 年 7 月	1828
13	徳左衛門	6 間	2 間半	8 斗	文化 13 年 2 月	1816
14	平吉	6 間	2 間半	3 斗	天保 6 年 2 月	1835
15	所左衛門	5 間半	2 間半	7 石	文政 7 年 2 月	1824
16	長蔵	5 間半	2 間半	6 石	天保 3 年 12 月	1832
17	新右衛門	5 間半	2 間半	5 石	天保 2 年 8 月	1831
18	伝兵衛	5 間半	2 間半	3 石	天保 4 年正月	1833
19	安兵衛	5 間半	2 間半	2 石	天保 2 年 11 月	1831
20	三郎兵衛	5 間半	2 間半	1 石	文政 5 年 10 月	1822
21	兵左衛門	5 間半	2 間半	1 石	文政 7 年 2 月	1824
22	五兵衛	5 間	2 間半	4 石	文政 12 年 10 月	1829
23	権兵衛	5 間	2 間半	2 石	天保元年 9 月	1830
24	市郎右衛門	5 間	2 間半	1 石	天保 10 年 8 月	1839
25	杢左衛門	5 間	2 間	5 石	天保 6 年 10 月	1835
26	治郎左衛門	5 間	2 間	1 斗	寛政 6 年 12 月	1794
27	庄右衛門	4 間半	2 間半	5 石	天保 11 年 2 月	1840
28	三右衛門	4 間半	2 間半	3 石	天保 3 年 11 月	1832
29	喜右衛門	4 間半	2 間半	1 石	天保 2 年 8 月	1831
30	太兵衛	4 間	2 間半	5 石	天保 11 年 2 月	1840
31	七郎兵衛	4 間	2 間半	6 升	天保元年 9 月	1830
32	銀右衛門	4 間	2 間	13 石	天保 10 年 11 月	1839
33	八右衛門	3 間	2 間半	3 石	天保 10 年 3 月	1839

杉並区教育委員会編集・発行『文化財シリーズ 30 下井草村編年史』（1984 年）より作成。

所持高は、安政 2 年 6 月「惣高帳」（慶應義塾大学文学部古文書室所蔵）による。

つぎに個々の家別の状況を見ておきたい。たとえば、五人の家族構成（男二、女三人）である篠崎家の所持高は天保二年（一八三一）に三石余、安政二年（一八五五）に一石余と減少させているが、その主屋は七間×三間半である（杉並区教育委員会：一九七五）。江戸周辺地域の経済圏にある下井草村では、農間余業や江戸での稼ぎも盛んであったと考えられ、いうまでもなく所持高の多寡《たか》と主屋規模の大小の相関関係を強調するのは難しい。【表1】においても所持高三斗《と》の平吉が六間×二間半の主屋に住む一方で、所持高一三石の銀右衛門は四間×二間の主屋に住んでいる。下井草村の百姓の主屋規模は、一部の上層階層を除いて所持高の多寡に大きな影響関係はなかったといえるであろう。

下井草村の村落景観において主屋だけに注目すれば、同じような規模の建造物が一〇〇軒程並んでいたということになる。

3、江戸周辺地域における長屋門の建立背景

十九世紀における下井草村の村落景観と村内の建造物に関する理解をもう少し進めるために、当該期に江戸周辺地域を歩いた御三卿清水家の家臣・村尾嘉陵《むらおかりょう》が記した紀行文における下井草村の箇所をみてみよう（『江戸近郊道しるべ』）。

夫《それ》よりもとのみちをたちもどりて、街道の北側井草に行くべき小みちを行、左右畑にて何の見所なし、五七丁にして寒泉寺《かんせんじ》といふ禅刹《ぜんさつ》あり、一丁たらぬ杉並の大門を入てみるに（中略）門前に、いもをうえたるうね、きりかへす翁《おきな》に、妙正寺のみちをとへば、左へひだりへと、路をとりて行ば、十四五丁が程也《ほどなり》とをしゆ、その言のごとく、行ゆけば、広き田のふちにでたり、こゝに田を前にして長《なが》や門《もん》作りたる家あり、此《こ》の名主井口《いぐち》新之丞が宅也と云、其《その》となりに冠木門《かぶきもん》建てたるかまへもあり、是は井口新十郎《しんじゅうろう》と云同家の者といふ

（天保三年五月十日、八九頁）

上井草村を訪れた村尾嘉陵は、隣村の下井草村（「井草村」）に向かうべく、上井草村にある観泉寺（「寒泉寺」）の門前で道を老人に尋ね、その案内通りに進むと、長屋門のある名主・井口新之丞邸があり、その隣に冠木門のある井口新十郎邸があったと記している。村尾嘉陵にとって、田園風景や同規模の主屋の建造物で構成される村落景観の中で長屋門や冠木門は特記すべきものであったといえる。では、門を構える井口新之丞（長屋門：七間半×二間半）や新十郎（冠木門）はどのような家であろうか。

下井草村では、享和三年（一八〇三）の村方騒動を契機に、半兵衛《はんべえ》家（井口）による世襲名主制から年寄層による年番《ねんばん》名主制に移行した。移行後の名主就任者は、新十郎（井口）、喜右衛門《きえもん》（松

写真１　武者窓をもつ長屋門　（筆者撮影）

沢）、善兵衛《ぜんべえ》（井口）、半右衛門《はんえもん》（井口）、四郎兵衛《しろうべえ》（戸井田）、源右衛門《げんえもん》（井口）、惣兵衛《そうべえ》（田中）、半兵衛（井口）、四郎右衛門《しろうえもん》（井口）の九名が確認される（野本：二〇〇三）。その後、下井草村の村政は、天保九・十年（一八三八・三九）の村方騒動を契機に領分取締役《りょうぶんとりしまりやく》が設置され、取締役が名主を兼帯することになった。その結果、天保十三年（一八四二）から新之丞（井口）が就任し、嘉永四年（一八五一）以降は四郎右衛門（井口）が明治維新を迎えるまで継続して務めた。なお、新十郎家は旧来の年寄であるが、新之丞は一九世紀になって、新規に年寄になった家柄であった。

　下井草村の村役人層の長屋門では、新十郎家（井口）、新之丞家（井口）のほかに、惣兵衛家（田中）が一〇間半×二間半のものを建立しており、武者窓をもつ長屋門は村社会にはあまり見られない形

写真２　善兵衛家の長屋門　（筆者撮影）

式であった（【写真1】）。

さて、名主を務める家柄である善兵衛（井口）は、文政十年（一八二七）三月に次のような願書を鳥見役所に提出した（『下井草村編年史』）。

一、間口三間　奥行弐間　収納小屋
一、間口三間　奥行二間　薪《まき》部屋
右立家大破ニ付、柱取替え壁直シ壱棟《いっとう》ニ取付ケ、中通リ抜ケニ仕《つかまつ》リ度《た》ク（五一頁）

これによれば、善兵衛は、収納小屋と薪部屋の修復に託《かこつ》けて両者を一棟とし、「中通リ抜ケ」にしたいと願っている。すなわち「長屋門」を造ろうとしているわけである。たしかに善兵衛家の長屋門は現存している（【写真2】）。家臣の住まいや番所としての機能もつ武家屋敷の長屋門と違い、村社会の長屋門において両側にある部屋の用途は、農具や作物などの物置や厩《うまや》、作業場など様々である。善兵衛が願書に認めた内容も機能としては合致する。では、なぜこのような願書を鳥見役所に提出してまで「長屋門」を造りたかったのであろうか。

　前節でみたように、主屋の規模では大差がない中で長屋門の建立は、名主層にとって平百姓との格差を視角的に示す上で大きな意味をもっていたのではないか。また、他の事例であるが、嘉永三年（一八五〇）に居宅門（四足《よつあし》門）を勝手に建立したことを領主に問われた名主は「門垣がないと「役宅《やくたく》」にみえない」ゆえに「近村々《きんそんむら》名主《なぬし》役宅《やくたく》同様《どうよう》囲垣《いがき》門《もん》等《など》堅固《けんご》」に建てたいと主張したのだとしている（野本：二〇一二a）。当時のこうした社会的背景があったゆえに、善兵衛は鳥見役所に上述のような内容で願書を提出してまでも「長屋門」を建立したかったのである。

4、江戸周辺地域に建立された長屋門のゆくえ

　江戸周辺地域に長屋門が建立される理由を、さらに聞き取り調査の記録から考察してみたい。杉並地域では郷土史家の森泰樹氏がおこなった聞き取り資料が刊行されており（森：一九七四）、それをもとに考察を進めたい。

　田中太市氏（明治三十三年生まれ）は、「古文書がないのではっきりしませんが、父より長屋門

は六代前のご先祖が寛政年間に建てのだと聞いています。ご先祖が度々今川様の行列にお供したと聞いていますので、その関係で長屋門を許されたのではないでしょうか」と話されました（八六頁）。

これは、惣兵衛家（田中）の子孫の方からの聞き取りである。古文書による記録はないが、今川様（下井草村の領主）との関係から寛政年間に建立したとの伝承を語っている。今川家は高家《こうけ》という旗本の家柄であったため、日光東照宮などに将軍の代参として参詣する役職を頻繁に務め、その行列に人足役として知行所百姓が動員された（福井：二〇〇三）。名主を務める家柄であった惣兵衛家の当主も行列に供奉したり、財政的支援等をもとに長屋門建立の許可をえる機会はあったであろう。江戸時代後期、たびたび財政的に苦しい状況が生じていた今川家とその財政支援をおこなった知行所名主層への特権付与は、上井草村でもみられる（野本：二〇一二b）。なお、先述の新之丞は、天保十三年（一八四二）に領分取締役を命じられた際、同時に苗字帯刀御免、扶持米九俵《ひょう》を与えられ、青柳重六義郷と改名し、一時的に武士身分となっている。

つまり、長屋門建立の歴史的背景に迫ることとは、江戸周辺地域における個別領主制の問題と切り結ぶことができる重要な一視点でもある。とりわけ、江戸周辺地域の領主は旗本が多いため、旗本領主制の問題から江戸周辺地域史の変容を考える好個の素材となる。筆者は、新之丞のような一時的に武士身分となった者（身分的中間層）が、江戸定住という旗本の領主的性格に規定されてその家政運営のために、江戸と周辺地域の居村とを往復することを「通勤する武士」の出現と位置づけ、それを起点に「江戸郊外論」を展望した（野本：二〇一二）。こうした理解に加え、本来、武家社会＝都市社会において展開してきた長屋門が江戸周辺地域に設置されていくことは、当該地域を農村でも都市でもない両義的な性格をもつ「郊外」へと変貌させていく一つの要素であったと考えている。苗字帯刀や家臣としての士格の獲得と同様に、長屋門の建立は、ここまでみてきたように当該期の地域社会において社会的意味を有し、それに関する共通理解が形成されていた。

東京二三区に現存する長屋門について、豊島区の調査によれば三四棟が確認されているが、その建築年をみると、明治期以降のものが八棟あり、長屋門が明治期以降も建築されていたことがわかる（豊島区：二〇〇一）。江戸時代後期以降、すくなくとも明治・大正期までは長屋門という存在自体が江戸周辺地域の「郊外化」としての社会的意味を有していたということであろう。やがてそれは文化財へと変化し、郊外化の建物の様式としての指標は別のものへ変化していく。長屋門の社会的意味の変化を考えることで、江戸周辺地域史の理解を深めることができるのではないか。その可能性を今後も追究していきたい。

参考文献

・森泰樹『杉並区史探訪』（杉並郷土史会、一九七四年）
・杉並区教育委員会編集・発行『文化財シリーズ九 杉並の民家その一 旧篠崎家住宅（杉並区下井草）解体工事報告書』（一九七五年）
・玉腰芳夫「長屋門」（『日本歴史地理用語辞典』柏書房、一九八一年）
・杉並区教育委員会編集・発行『文化財シリーズ三〇 下井草村編年史』（一九八四年）
・『東洋文庫四四八 江戸近郊道しるべ』（平凡社、一九八五年）
・青木美智男「近世の地方文書と近世史研究―村方文書を中心に―」（青木美智男・佐藤誠朗編『講座日本近世史一〇　近世史への招待』有斐閣、一九九二年）
・宮崎克美「大名江戸屋敷の境界装置―表長屋の成立とその機能―」（宮崎克美・吉田伸之『武家屋敷―空間と社会―』山川出版社、一九九四年）
・『豊島区歴史的建造物報告書Ⅰ住宅編』（二〇〇一年）
・冨澤智宏「今川知行所四か村の概観」（大石学監修・東京学芸大学近世研究会編『高家今川氏の知行所支配―江戸周辺を事例として―』名著出版、二〇〇三年）
・福井那佳子「今川氏の知行所支配」（前掲『高家今川氏の知行所支配』）
・野本禎司「下井草村の村政と今川氏の対応」（前掲『高家今川氏の知行所支配』）
・野本禎司「近世後期旗本家家臣団の再生産構造」（『関東近世史研究』第七〇号、二〇一一年）

・野本禎司「幕府官僚の家臣団編成と勝手元締役―江戸郊外論試論―」（『近世史サマーフォーラム二〇一一の記録 制度からみた国家と社会』近世史サマーフォーラム二〇一一実行委員会、二〇一二年a）
・野本禎司「高家今川家と知行所百姓の関係をめぐる一考察―伝承と史実のあいだ―」（『新西郊文化』第二号、新西郊文化研究会、二〇一二年b）

3

あたらしい城郭研究の方法

「河川台帳」に遺されていた幻の中世城郭を追う

新井浩文

対象地域
埼玉

1、はじめに――埼玉県立文書館収蔵の行政文書と「河川台帳」

埼玉県立文書館《もんじょかん》は、令和元年（二〇一九）で五〇周年を迎えた。この間、古文書はもとより多くの行政文書を収蔵してきており、その一部は国指定重要文化財となっている。行政文書の中には、県が作成した地図類も多く含まれており、今回紹介する「河川台帳《かせんだいちょう》」は、県土木部河川課等から移管された河川に関する史料で、河川に関する帳簿と付図（実測図）から成り立っている。中でも明治期から昭和三十年代にかけて作成された図面類約一〇〇〇点は、河川の状況や河川行政、土木技術あるいは地図学における製図式を知る上でも貴重な歴史資料である。図面の中で最も多いのが、明治二十九年（一八九六）に施行された河川法による河川台帳実測図であるが、一部河川法施行以前に描かれたと思われる河川図も存在している。

実測図は、河川の敷地と堤外の区域、及びその河川が直接影響を及ぼす流域の様子を記した縮尺一二〇〇分一の地図で、橋や堰《せき》、流域の構造物なども詳細に記されている。現在の地図と比較することで流路のみならず、地域の変遷も知ることができることから、活用が期待されている。

2、「河川台帳」に記録された城郭

前述したように「河川台帳」は河川流域の構造物まで実測図として描かれていることから、流域に構築された中世城郭が実測され、記録されているケースがある。周知のように、関東の城郭は河川を巧みに利用して築城されていることが多く、特に古河《こが》（茨城県古河市）に拠点を置いた関東公方《かんとうくぼう》は、古河城だけでなく利根川水系の流域に関宿城《せきやど》（千葉県野田市）や栗橋《くりはし》城（茨城県五霞《ごか》町）など河川を利用した拠点城郭を築城し、簗田《やなだ》氏や野田氏などの有力家臣を配したことで知られている。ところが、これらの流域に構築された中世城郭は近世以降、古河や関宿のように譜代藩の城として存続したものだけでなく、廃城となった栗橋城も含め、明治以降の大規模な河川改修工事によって、本来の姿をとどめていないのが現状である。

実際、古河城も関宿城も現在は、その一部が確認されるだけで、大半の遺構は度重なる堤防工事により、堤防下となっている。それでも、近世以降に譜代藩として存続したこの両城については「正保城絵図《しょうほうしろえず》」（国立公文書館蔵）に収録されていることから、近世初期の様子を知ることができるだけ幸いといえる。しかし、それ以外の城郭については、名称のみで構造等についてはこれ

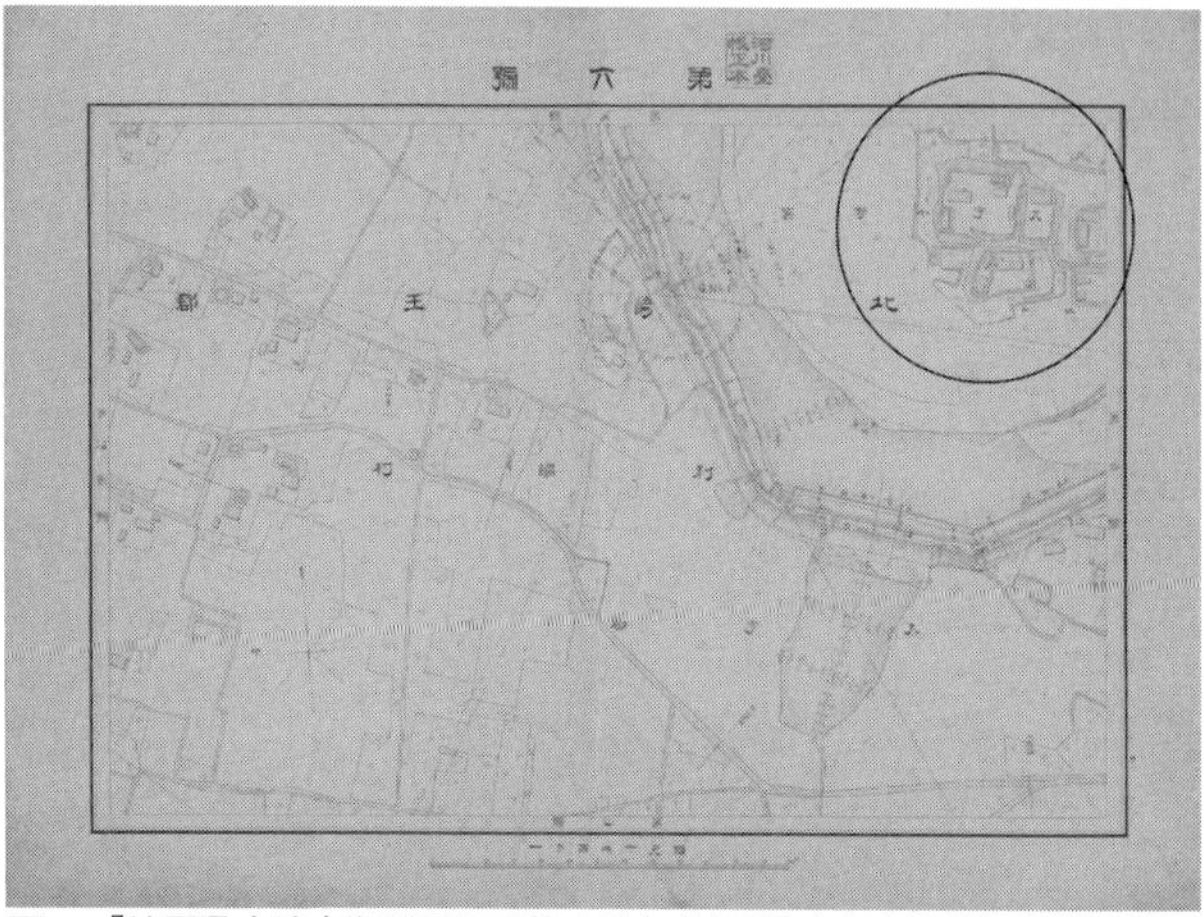
図1 「埼玉県内渡良瀬川平面図第六号」（埼玉県立文書館蔵）

まで不明なままとなっていた。

ところが、「河川台帳」に一部の城郭が当時現存した構造物として記録されていることが、整理を行った担当者により近年確認された。【図1】は「埼玉県内渡良瀬川《わたらせがわ》平面図第六号」（縮尺二〇〇〇分一・請求番号A一九七五）で、明治三十二年～三十三年（一八九九～一九〇〇）に作図されたものである。小野《おの》袋《ふくろ》村（現在の加須《かぞ》市小野袋）周辺の渡良瀬川と利根川に挟まれた地域を測量した実測図である。【図1】の右上部分「北埼玉郡」と書かれた「北」文字部分

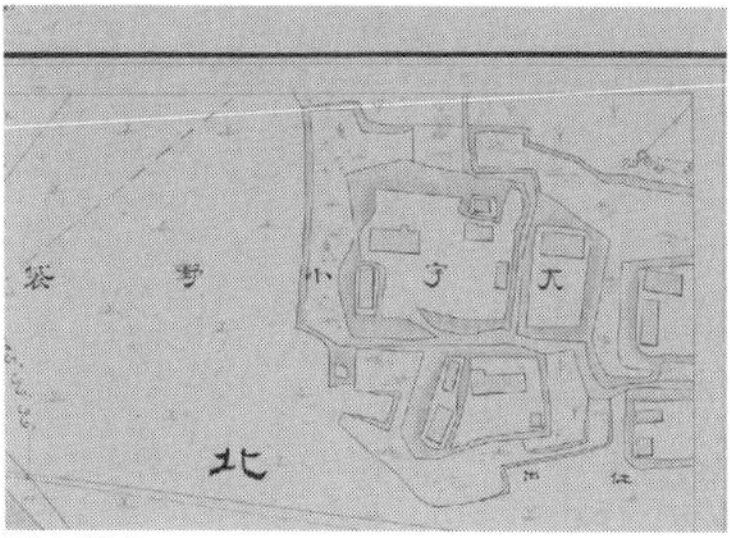
図1部分

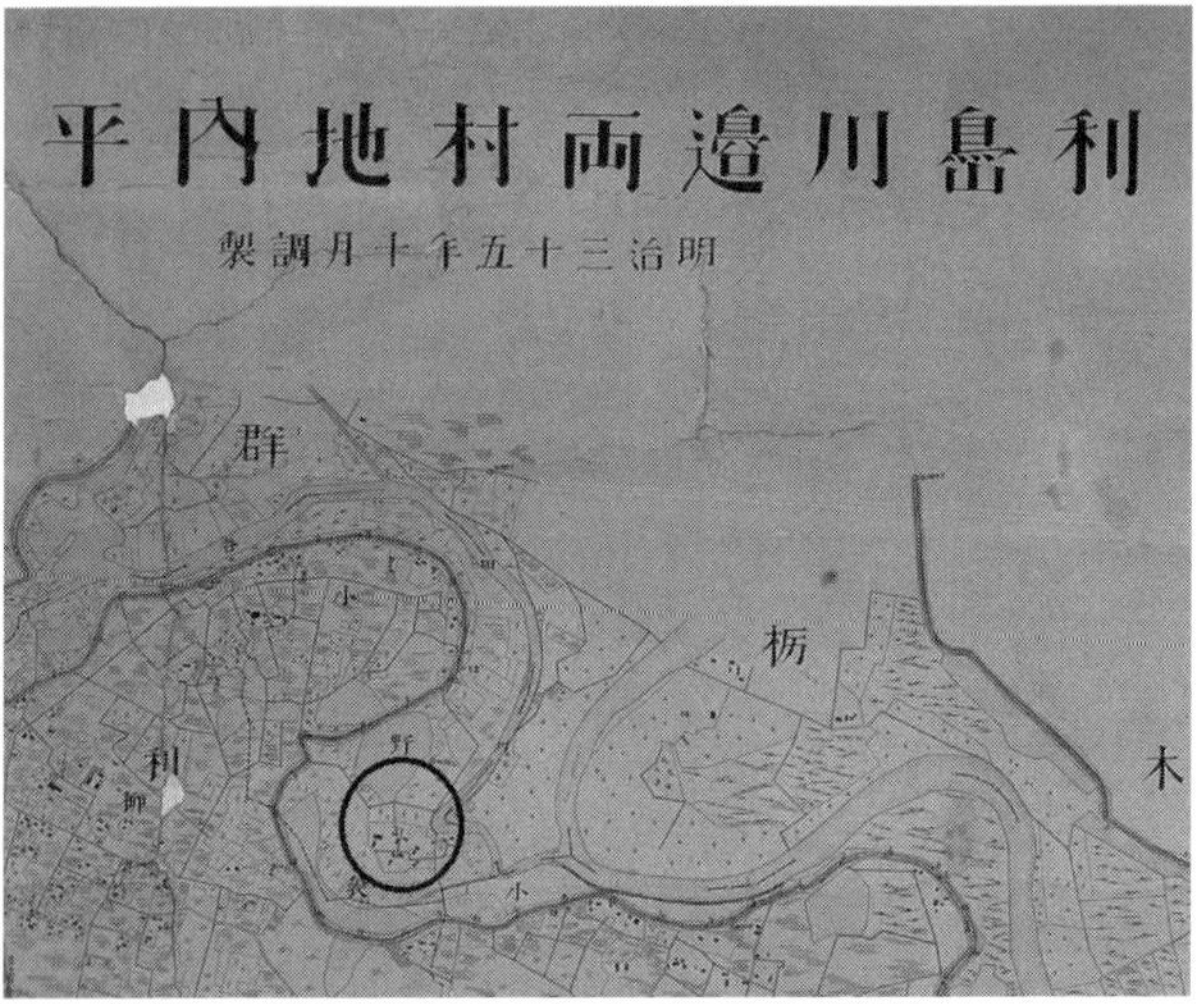

図２「利嶋・川辺両村地内平面図」（埼玉県立文書館蔵）

に、複数の廓《くるわ》と堀を持った城郭が描かれているのが確認される。さらに、この部分の周辺図となる【図２】「利嶋《りしま》・川辺《かわべ》両村地内平面図」（縮尺六〇〇〇分一・請求番号Ａ一九九六）は、明治三十五年（一九〇二）に作図されたものを部分拡大したものである。城郭は、谷田川《やたがわ》と旧渡良瀬川が合流する袋状の堤内に構築されていたことがわかる。

さらに【図３】国土地理院の二万五〇〇〇分一地形図「古河」（一部拡大）によって、この地点の現在の状況を確認してみよう。現在、この場所は一部が渡良瀬遊水地となっており、三国橋《みくにばし》から北へ向かう国道と渡良瀬遊水地の周遊路および遊水地の下となっていることが確認される。まさに、この城郭は足尾鉱毒事件に端を発し、谷中《やなか》村を廃して遊水地（谷

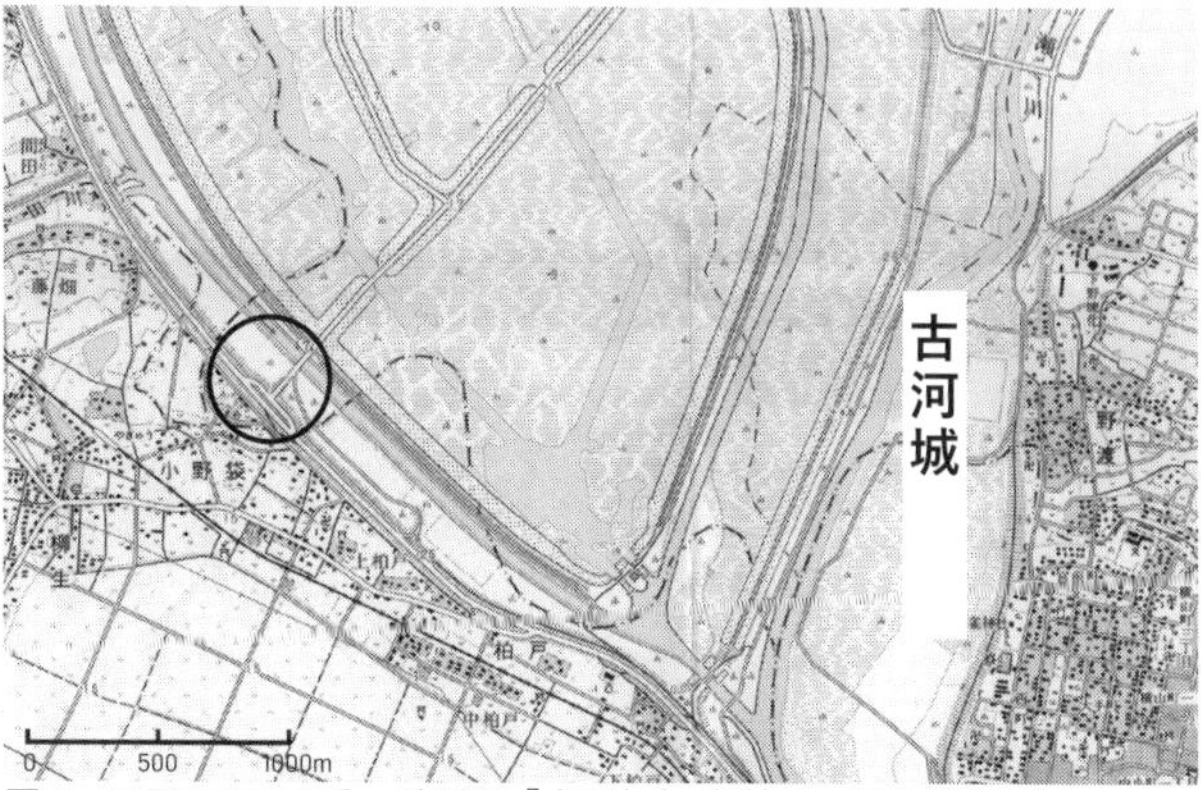

図３　二万五〇〇〇分一地形図「古河」（一部拡大、国土地理院）

中湖）とし、渡良瀬川の流れを東に変えた明治四〇年代（一九〇七）以降の国策の影響によってその後消滅した可能性があることがわかってきた。

3、誰が築いた城なのか

では、この城は誰が築いたのだろうか。考えられるのは、周辺に領域を持ち支配を展開していた関東公方、もしくはその後の小田原北条氏であろう。

〔史料〕［天正十一年（一五八三）］八月八日　足利義氏遺《い》臣連署状案《しんれんしょじょうあん》（「喜連川《きつれがわ》家文書案」）

急度以脚力令啓候、然者御輿之儀、近日之洪水故、御日限御遅々由承及候、御無心元令存候、御模様承度存候、

一、此度洪水当口之儀、廿ケ年已来無之由候、栗橋嶋之御事、御堅固候、満水已然向栗橋へ、

図４　現在の小野袋付近（土手左手は渡良瀬遊水池）　（撮影：筆者）

御姫君様被移御座候、奇特之御仕布美
被走廻候、嶋之御事、指水立増先年之
由、布美被申事候、御当城之儀、堤涯
分雖相拘候、大水之間、不及了簡、新
堤押切申候、御城内之儀者堅固候、可
御心安候、近辺之堤共、始関宿・高柳・
柏戸其外悉切候、不大形洪水、郷損不
及是非為体候、幸嶋之事、野水近年無
之大水之間、同前之由申来候、至于今
日往行断絶之体ニ候、定而在番衆可被
申入候、（以下略）

八月八日　　　各々

奥州

〔読み下し〕

きっと脚力《きゃくりょく》をもって啓せしめ候、しからば御輿《こし》

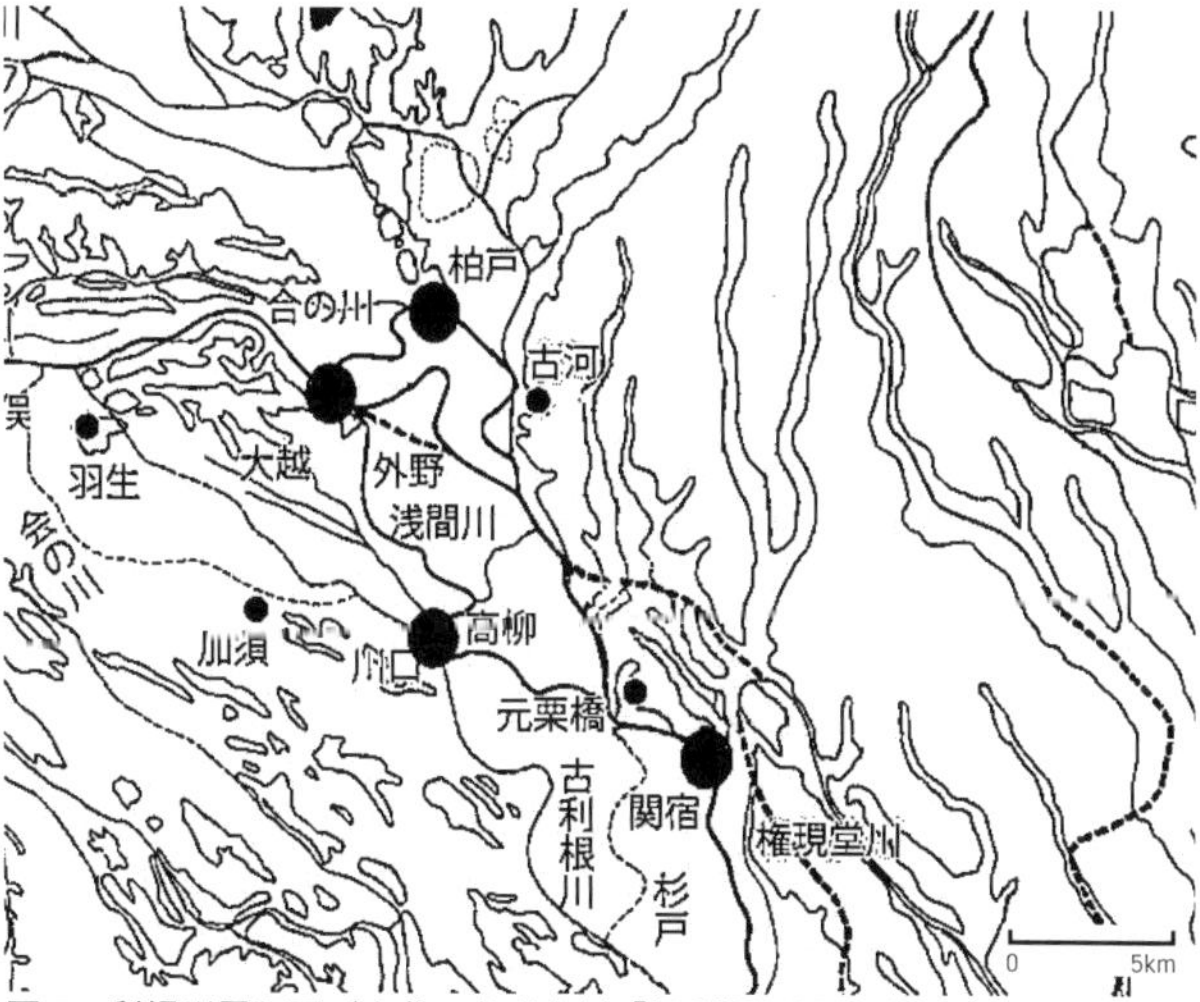

図５　利根川周辺図（出典：参考文献『旧利根川堤防跡』より引用）

の儀、近日の洪水故、御日限御遅々の由、承《うけたまわ》り及び候。御心元《こころもと》なく存じせしめ候。御模様承りたく存じ候。

一、このたびの洪水、当口の儀、二十か年已《い》来《らい》これなき由に候。栗橋嶋《くりはしじま》の御事、御堅《けん》固《ご》に候。満水已前に向栗橋《むかいくりはし》へ御姫君様御座を移され候。奇特《きとく》の御仕合せ、布美（布施景尊）走り廻られ候。嶋の御事、さしたる水立ては先年に増すの由、布美申さるる事に候。御当城の儀、堤涯分《がいぶん》に相拘《あいかか》え候といえども、大水の間、了簡《りょうけん》に及ばず、新堤押し切り申し候。御城内の儀は、堅固に候。御心安《こころやす》かるべく候。近辺の堤どもをはじめ、関宿《せきやど》・高柳《たかやなぎ》・柏戸《かしわど》、そのほかことごとく切れ候。おおかたならざる洪水、郷損は是非に及ばざる体《てい》たらくに候。幸嶋《さしま》の事、野水《のみず》近年これなき大水の間、同然の由申し来たり候。今日に至るも往行断絶の体に候。定めて在番衆《ざいばんしゅう》申し入れらるべく候。（以下略）

八月八日（天正十一年）　各々
奥州（北条氏照）

〔史料〕は、古河公方足利義氏《あしかがよしうじ》が死去し、実質的な公方支配が無くなった公方遺臣たちから栗橋城主の北条氏照《ほうじょううじてる》に対して出された文書である。この年、八月に関東は未曾有の豪雨に襲われた。利根川・渡良瀬川流域に構築された堤防が次々と破堤したことをこの文書は伝えており、古河公方義氏の遺児である氏姫《うじひめ》が栗橋城の向《むか》い城《じろ》である「栗橋嶋」に避難して無事だったことや、遺臣たちのいる古河城も新しい提は切れたが、堅固なため城内は無事であったことが述べられている。傍線部分では、周辺の被害状況を伝えており、その具体的な破堤場所として「関宿・高柳・柏戸」が挙げられている。【図５】を参照してもらうと理解しやすいが、関宿は関宿城周辺の堤、高柳（現在の久喜市高柳付近）は永正の乱を経て、後に小弓《おゆみ》公方となる足利義明《よしあき》が御座所《ござしょ》としていた場所であることから、いずれも水運の要所である一方で、水害が起こりやすい場所であったことから堤防が構築されていたとしても不思議ではない。では残る「柏戸」は、どこなのか。【図3】を見ると小野袋の隣村が柏戸であり、前述したように戦国時代には渡良瀬川が小野袋と柏戸を取り巻くように流れていたことが窺える。あくまでも推測の域を出ないが、「河川台帳」に記録された城郭を「柏戸城」に比定してみたい。

その根拠として、まずは古河城との位置関係が挙げられる。【図3】をみると明らかなように、柏戸城の東側には渡良瀬川を挟んで古河城が位置していた。城郭の向きが西向きに構築されていることから、あるいは古河城の向い城として機能していた可能性がある。いずれにせよ、文献からのアプローチがこれ以上難しいことから、最終的な結論は持ち越さなければならない。また、河川流域に存在した城郭の場合、堤防下に遺構があることから発掘調査も不可能に近いのが現状である。それこそ、文化財の発掘調査が災害を引き起こす一因になりかねない訳で、これまで一部についてはは発掘調査が行われたものの大規模な発掘調査となると困難を極めている。なお、そのような中で中世城郭ではないが、埼玉県では現在、強化堤防工事に伴い、堤防に接する近世「栗橋宿」の発掘調査を実施しており、その成果が注目されている。

4、むすびに――これからの城郭研究に期待するもの

以上、行政文書として作成された「河川台帳」に記された城郭図の検討を微力ながら行ってみ

た。行政文書は、近代以降の史料としてこれまで中・近世の研究者からあまり顧みられなかったが、今回検討したように様々な情報量を有している側面がある。今後とも、開かれた史料として各分野の研究者による活用を望む一方で、現在の行政文書（公文書）についても、保存管理を確実に行い、一〇〇年後の研究者のために、遺《のこ》していくことが肝要であることを改めて思う今日この頃である。

参考文献
・新井浩文『関東の戦国期領主と流通』（岩田書院、二〇一一年）
・増山聖子「文書館収蔵明治期調整河川図にみる測量教育の影響」（『文書館紀要』第二七号、二〇一四年）
・『埼玉県埋蔵文化財調査事業団報告書第四五〇集　旧利根川堤防跡』（同事業団、二〇一九年）

〔付記〕拙文執筆についてご教示を賜わりました増山聖子氏に感謝いたします。

まつりの出し物を探る

4 蔵からのぞくまつりの文化
――日光・弥生祭付祭の御幸町万度――

山澤　学

対象地域　栃木

1、幻の万度

「弥生祭《やよいまつり》の家体《やたい》が通る　町は男女《なんにょ》の人の波　ともす万燈《まんどう》　笛や太鞁で夜が更ける」

これは、栃木県日光市下鉢石町《しもはついしちょう》出身で、昭和の東京で活躍した常磐津光寿太夫《ときわづこうじゅだゆう》の作品「夢の日光」の一節である。弥生祭《やよいさい》は、日光二荒山《ふたらさん》神社（江戸時代には新宮《しんぐう》）の例大祭で、門前町が奉納する付祭《つけまつり》がある。付祭は、元禄十四年（一七〇一）に始まり、以後、半世紀ほどの間に、囃子《はやし》をともなう家体（屋台）の献備や手踊《ておどり》狂言《きょうげん》（歌舞伎芝居）の奉納など、さまざまな出し物に彩られ、庶民が楽しむまつりとして定着した。

「夢の日光」に歌われる「万燈」（万灯）も、それら出し物の一つで、一般に「万度《まんど》」と書き、「出《だ》し」とも呼ばれた舁山《かきやま》である。しかし、明治末年生まれの人でさえ繰り出した姿を見たことがなく、ほとんど忘れ去られてしまった、文字通り幻の出し物である。

写真1　御幸町の町内蔵（筆者撮影）

門前町の各町には、明治以降に建てられた町《ちょう》内蔵《ないぐら》と呼ばれる蔵がある（【写真1】）。町内蔵には町の共有物が収められているが、その中には弥生祭付祭に使われる品々もある。筆者は平成二十五年（二〇一三）七月二十日、御幸町《ごこうまち》の町内蔵の床補修のために万度をはじめとする品々が運び出された際に、幸運にも調査することを許された。以下、御幸町の町内蔵から万度、そしてまつりに根づく固有の地域文化をのぞいてみよう。

2、まつりにおける万度

石屋町《いしやまち》にある日蓮宗最勝寺《さいしょうじ》の御会式《おえしき》で立てられる造り物も万度と呼ばれる（【写真2】）。これは行灯を一本柱で立て、上部に傘や紙花を垂らした花笠《はながさ》を飾るもので、かつては町中を担いで歩いたという。江戸で天下祭と呼ばれていた神田祭《かんだまつり》・山王祭《さんのうまつり》をはじめ、各地のまつりを描いた絵画史料を見ると、まつりの行列の中に力持ちが同様の万度を担ぐ姿が見える。上部には、流行を取り入れ、他と競い合って造る飾り物が付けられた（黒田：一九九三・一九九四）。

写真２　最勝寺御会式の万度（平成 18 年（2006）11 月 12 日、筆者撮影）

手持ちの万度は天明年間（一七八一〜八九）の江戸で、岩瀬京山《いわせきょうざん》の随筆「蜘蛛《くも》の糸巻《いとまき》」に記されるように、盛んに繰り出された。また、宝暦年間（一七五一〜六四）以降に二輪・牛曳《び》きの土台を付けた山車《だし》型の万度が発展し、文化年間（一八〇四〜一八）から天保年間（一八三〇〜四四）初頭にその最盛期を迎え、飾り物もいっそう華麗になった。人が曳く曳万度《ひきまんど》も安永〜文政年間（一七七二〜一八三〇）に繰り出された。山車型の万度は、その間に関東周辺へ伝播し、各地で固有のまつりが造形されていった（作美：一九九六）。埼玉県秩父《ちちぶ》市・秩父夜祭《よまつり》の笠鉾《かさほこ》、栃木県宇都宮《うつのみや》市・二荒山神《ふたあらやまじん》社《じゃ》菊水祭《きくすいさい》の新石町《しんこくちょう》火焔太鼓《かえんだいこ》山車の上部にも行灯型の「万度」があり、万度が各地で型式を変え、地域固有の文化として定着したことがうかがえる。

日光の弥生祭付祭にも、江戸の文化的影響を受け、万度が登場した。日光山社家《しゃけ》（最高位の神職）が記した「御番所日記《ごばんしょにっき》」によれば、宝永六年（一七〇九）の付祭に、鉢石町《はついしちょう》が「出し壱本ひこ馬など」を出した。一本柱の上に竹畚馬《へご》、すなわち竹細工の馬を飾る、手持ちの「出し」（万度）である。天明三年（一七八三）から寛政四年（一七九二）には、付祭の出し物が万度のみとされた（御幸町文書）。このころから万度には一本柱を立てる台が付き、四人で担ぐ舁山となり、上部に載せる飾り物も大型化・高層化したようである。各町は、奇抜さ、精巧さ、壮麗さを競い合って飾り物の趣向を凝らしていった。とはいえ、管見の限り完全な姿を残す万度はなく、わずかに大正四年（一九一五）に東照宮三百年祭奉祝行事時に撮影された四軒町《しけんちょう》の万度しか全容のわかる手がかりがない（【写真3】）。

写真3　四軒町の万度（大正4年（1915）10月17日、日光東照宮所蔵　古写真）

3、町内蔵に残る猩々出し

筆者は平成元年（一九八九）八月に、御幸町の大老《たいろう》から万度が部品ごとに分けられて町内蔵に保存されており、組み立ても可能では、

写真4　御幸町万度の瓶箱と瓶・大盃（御幸町所蔵、筆者撮影。写真5・6も同様）

と聞いた。大老とは、門前町における男性の年齢階梯《かいてい》制、すなわち年齢に応じて定められる町内身分の中で最高位の長老格に当たる。別の大老は、大きな盃の飾りを町内蔵の中で見たと言う。二人とも今は故人である。

その大盃は、実際に蔵の中の木箱から出てきた。総体は朱色で、金字で「壽」（寿）と大書されている。木箱の蓋の表面に「猩々《しょうじょう》出《だ》し　瓶箱《びんばこ》　人形一式入　御幸町若イ者」と墨書され、墨書にある瓶（酒壷）とともに現れた（【写真4】）。この大盃・瓶は、いずれも竹でできた骨組みに和紙を貼り付け、顔料《がんりょう》で美麗かつ精巧に彩色された、いわゆる張り子であるが、堅牢な造り物である。

とはいえ、木箱の墨書と、収められた品々はほとんど一致しない。収めたというよりは押し込んだ、という印象である。しかし、木箱の墨書とさまざまな部品は、貴重な情報を与えてくれた。万度関係と思われる木箱のうち最古の墨書は、文政三年（一八二〇）六月に新調された万度の「大平《（幣）》東一双　鬼板《おにいた》・蟇股《かえるまた》・日覆《ひおおい》」である。他の木箱四箱はすべて天保十三年（一八四二）三月に新調された万度の収納箱であった。その中身を示す墨書を次に掲げる。

○猩々出し瓶箱　　人形一式入《いり》
○台輪《だいわ》箱
○猩々出し浪彫物《なみほりもの》箱　勾欄《こうらん》・紫柄《むらさきえ》・床板《ゆかいた》・四方下ケ幕《しほうさげまく》・水引《みずひき》・細引《ほそびき》
○猩々出し田額《でんがく》箱　小道具一式入《いり》

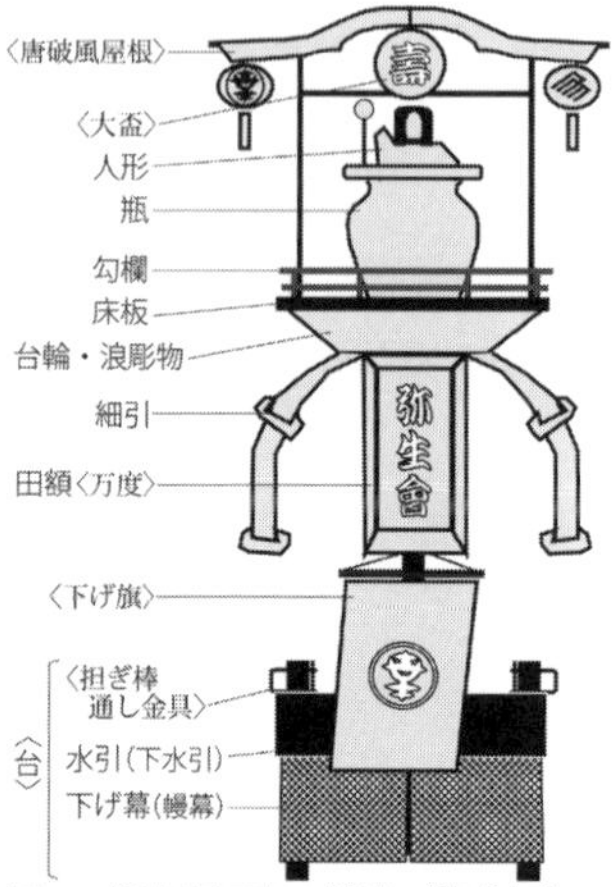

図１　御幸町万度の構造（概念図）
註〈　〉内は筆者が付した名称。

天保十三年新調の万度の飾り物の意匠は「猩々」であった。蔵には、二本の担ぎ棒を取り付ける台と、これに固定される一本柱、上部の小屋のものと思われる細い黒漆塗りの柱や白木の屋根、人形もあり、木箱の墨書と合わせると、万度の構造をおおよそ復元可能となった（【図１】）。台は、下げ幕・水引幕で飾られる。一本柱の上には、「御幸町」「弥生会《やよいえ》」「御祭礼」と記す扁額《へんがく》四面から成る「万

写真６　猩々人形の部品

写真５　御幸町万度の田額

度」（【写真５】）が付く。その姿は田楽と例えられたらしく、箱書きには田額とある。田額の上に台輪が載り、浪の彫刻が取り付けられる。台輪の下からは、湧き出した酒だろうか、水色に染められた細引（麻をより合わせた縄）が垂れる。台輪上に小屋を載せる床板が固定され、小屋内には瓶、大盃、そして猩々の人形を飾る。人形は二体残るが、装束や髪は失われている（【写真６】）。その胴体部分は木組みであるが、歯車があるので、からくり人形であったことがうかがえる。

ちなみに、万度は、その時々に合わせ、上部の飾り物を取り外し、即時的・即興的に別の飾り物を載せて用いられることがある（山澤：二〇一七）。田額も、弥生祭以外のまつりに流用できるよう、「弥生会」と書かれた面は着脱可能で、別の扁額に差し替え可能な造りになっている。万度は設計上、さまざまな工夫がなされている。

4、御幸町の町印としての「猩々」

天保十一年（一八四〇）三月、弥生祭付祭の会計決算書である「弥生御祭礼諸入用清帳《しょにゅうようせいちょう》」（御幸町文書）によると、御幸町は、万度新調の二年前に、以前の万度を繰り出している。その第九条には「一　七拾弐文　猩々柄杓《ひしゃく》新規、木地《きじ》・塗代《ぬりだい》とも」、第十三条には「一　三百文　傘《かさ》壱本、右雨天《みぎうてん》ニ付《につき》、猩々入用《にゅうよう》」とある。天保十三年以前、すなわち文政三年（一八二〇）新調の万度も猩々に取材したものであったことがわかる。このとき、猩々が手に持つ柄杓は、木製、漆塗りのものが新調された。

第十三条によると、文政の万度には小屋がけがなかったのだろうか、雨天のため、猩々の人形にさしかける傘が用意された。第六〜八条には、台に巻かれる下水引幕や幔幕《まんまく》（下げ幕）、この万度には付されていた吹流《ふきなが》し（吹貫《ふきぬき》）の所々を修理した費用が記される。下水引幕は、表面が黒い繻子《しゅす》（光沢がある絹織物）、裏地がねずみ色に染められた海気《かいき》（甲斐国で織られた平絹《ひらぎぬ》）で、切れ端を買い求めて繕われた。悪天候のみならず、新調後二〇年という時間から、布地や張り子に多くの痛みがあったと予想でき、そのため二年後、天保十三年に万度を新調したものと考えられる。

しかし、新調しても猩々の意匠は基本的には引き継がれたことになる。万度や家体などは町《ちょう》印《じるし》と呼ばれることがある。特に万度は、町の行列の先頭を行く。猩々と言えば御幸町と、猩々は御幸町の文字通りシンボルとして既に定着していたのである。

　そもそも猩々は伝説上の霊獣・妖精で、起源は中国にある。その顔は人間であるが、猿に似て、体は鮮やかな深紅色（猩々緋《しょうじょうひ》）の長毛でおおわれている。陽気で愛嬌があり、福をもたらすという。まつりの祝いに相応《ふさわ》しい役柄である。

　その物語は能の五番目物の演目「猩々」として名高いが、文化〜文政年間（一八〇四〜三〇）の江戸では、この能に取材した、共に「猩々」と通称される二曲の長唄・舞踊が誕生し、より庶民に近い芸能となっていた。文化十二年（一八一五）六月、河原崎座《かわらざきざ》で上演された「寿二人猩々《ことぶきににんしょうじょう》」（九世杵屋《きねや》六左衛門《ろくざえもん》作曲）、文政三年九月、中村座《なかむらざ》で初演された「猩々雪酔覚《しょうじょうゆきのえいざめ》」（二世桜田治助《さくらだじすけ》作詞・二世杵屋佐吉《さきち》作曲）がそれである。御幸町の万度は、江戸で「猩々」が人気を博した時期にまさに誕生している。北関東の一地方にこのような江戸の流行りが伝わり、町のシンボルとして受け入れられたのである。

　「猩々」のあらすじを見ておこう。中国に親孝行な高風《こうふう》という若者がいた。彼は、夢でお告げを聞き、酒売りを始める。その常連客に酒に強い者がいた。名は猩々と言い、水中に住むという。高風が月夜に川辺で酒を用意して待っていると、猩々が波間から現れる。二人は盃を交わし、舞い踊る。猩々は高風の徳を讃え、不老長寿の福酒が湧き出る酒壺を与えて帰っていく。眠りから目覚めた高風は、一連の話が夢であったと知るが、酒壺は実在した。以後、その商売はますます繁盛し、高風は富貴の身となった。

御幸町の町内蔵からのぞき見ることができた「壽」の金字を配する朱色の大盃、福酒の瓶、福酒が瓶から湧きこぼれるさまを表現する細引、猩々の現れる波間をかたどる浪の彫刻。これら万度の飾り物の意匠は「猩々」の筋書き通りである。今は失われている万度の下げ旗は、猩々緋の絹織物であったと見られる。この万度は、江戸で流行る芸能を華麗に散りばめたもので、見る人々の想像力をかき立てさせる粋《いき》な文化そのものだったに違いない。

万度は明治以降、高層であったことが仇《あだ》となり、近代化が進み電線が敷設されると繰り出しが困難となった。御幸町の万度は明治三十二年（一八九九）を最後に弥生祭付祭の記録から消える。他の町内においても、明治三十五年の稲荷町万度の繰り出し以降、確認できなくなる。下大工町が大正四年に大正天皇即位の御大典を記念し新調したという万度の田額・一本柱が現存するが、繰り出した記録は見えない。そして、万度は幻の出し物となった。

とはいえ、シンボルとしての猩々は、思わず知らず現在の御幸町にも引き継がれている。御幸町の家体の上水引幕《うえみずひきまく》の色は猩々緋なのである。猩々緋は他町には見られない。万度は幻の出し物となったが、猩々は御幸町固有の文化として現代にも刻みつけられているのである。

参考文献

・岩瀬京山「蜘蛛の糸巻」（日本随筆大成編輯部編『日本随筆大成』第二期七巻、吉川弘文館、一九七四年）
・植木行宣・福原敏男『山・鉾・屋台行事―祭りを飾る民俗造形―』（岩田書院、二〇一六年）
・黒田日出男『王の身体 王の肖像』（平凡社、一九九三年）
・黒田日出男・ロナルド・トビ編『行列と見世物』（朝日百科日本の歴史別冊歴史を読みなおす一七、朝日新聞社、一九九四年）
・作美陽一『大江戸の天下祭り』（河出書房新社、一九九六年）
・東京大学文学部国文学研究室「文学部所蔵歌舞伎関係資料」（http://www.l.u-tokyo.ac.jp/digitalarchive/collection/kabuki.html　二〇一九年十二月十五日閲覧）
・東照宮社務所編『御番所日記』四巻（東照宮社務所、一九三四年）
・栃木県立博物館編『とちぎの山・鉾・屋台』（栃木県立博物館、二〇一七年）
・日本舞踊社編『日本舞踊全集』四巻 演目解説四（日本舞踊社、一九八二年）
・山澤学「近世日光山の神事・法会―弥生祭を事例に―」（菅原信海・田邉三郎助編『日光―その歴史と宗教―』春秋社、二〇一一年）
・山澤学「日光東照宮三百年祭の奉祝と日光東西町の家体奉納」（『大日光』八七号、二〇一七年）
・早稲田大学演劇博物館「演劇情報総合データベース―デジタル・アーカイブ・コレクション―」（http://www.waseda.jp/enpaku/db/　二〇一九年十二月十五日閲覧）

5

水と人々と生存の在り方

行徳塩浜と「災害」
――水の管理をめぐって――

菅野洋介

1、はじめに

江戸時代の下総《しもうさ》行徳《ぎょうとく》が製塩の地であったことは周知のことであろう。製塩が実施された場所は、現在の千葉県市川市を中心に浦安市及び船橋市一部を含む一帯になる。

戦前から「下総行徳塩業史」として研究史の蓄積があるものの、塩浜自体の性格を追求した成果になると、さほど多くない。当時の塩浜とは、どのような性格を有していたのか。近年、発見された史料をもとに紹介してみたい。

まずは、行徳の立地条件を確認する。当地は本行徳《ほんぎょうとく》村を中心に、東京湾に面しつつ、江戸川河口付近に位置していた。そのため江戸川の洪水などにより「真水《まみず》」（以下史料用語には鍵括弧をふす）の流入が想定しやすい場所であった。また内匠堀《たくみほり》と称される用水が存在し、水田や畑が存在していた。そのため当地の塩浜を考えるにあたっては、田畑や江戸川のあり方に留意しつつ、海水のコントロールを考える必要がある。そして、想定以上に塩浜に真水が流入したり、反対に水田や畑に想定以上の海水が流入したりすると、当該期の人々は「災害」と認識したとみられる。なお、ここで紹介する史料は、既に紹介されている（菅野：二〇一八）。

２、村絵図の内容と荒浜

当地に伝来した絵図からみていこう。本行徳村に隣接した関ヶ島《せきがしま》村絵図は、年未詳ながら、江戸時代の景観を伝える。畑と塩浜及び用水や居住地の状態が克明に描かれている（【図１】現在、市川歴史博物館の常設展示に解説などがある）。また文政五年（一八二二）の本行徳村を俯瞰《ふかん》できる絵図でも同様に認められる（【図２】）。そのなかで、ここで注目するのが、二つの絵図に記されている「荒浜《あれはま》」の位置づけである。

左の画像は、【図１】の部分であるが、色の濃い部分が「荒浜」となった場所である。

これまでの研究成果に依拠すれば、絵図に記載されている「荒浜」は、先に述べた「真水」流入が想定できる箇所にあたる。いかにして、「塩気《しおけ》」を保つかが、塩浜維持に求められたことになる。なお当地の古文書には、真水の流入に伴い塩浜の「塩気」が薄くなる旨を示すものが伝来する。

但し、この理解のみだと真水が流れやすい居住地側から一定の範囲で面的に「荒浜」となってもよいはずだが、先述のように絵図には点在的に「荒浜」が確認できる。そのため別の説明も加

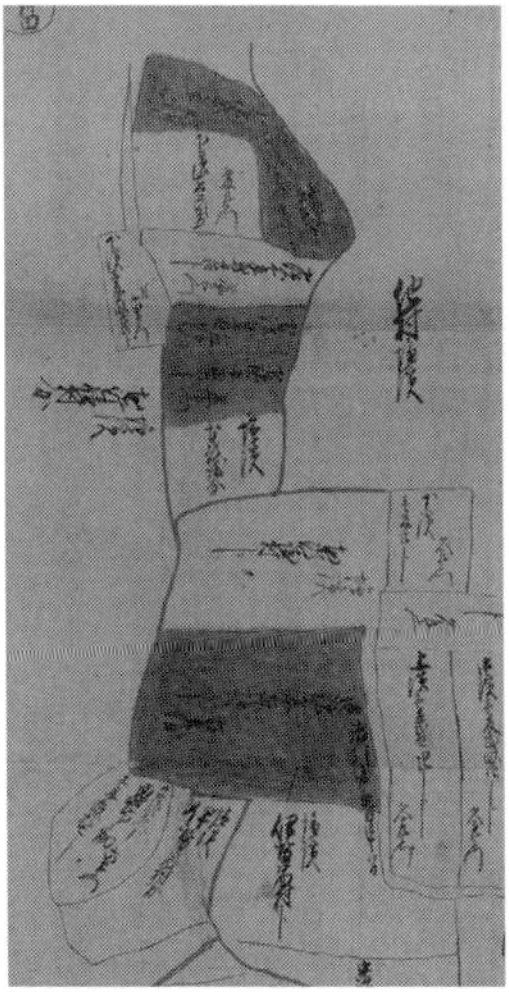

図１部分

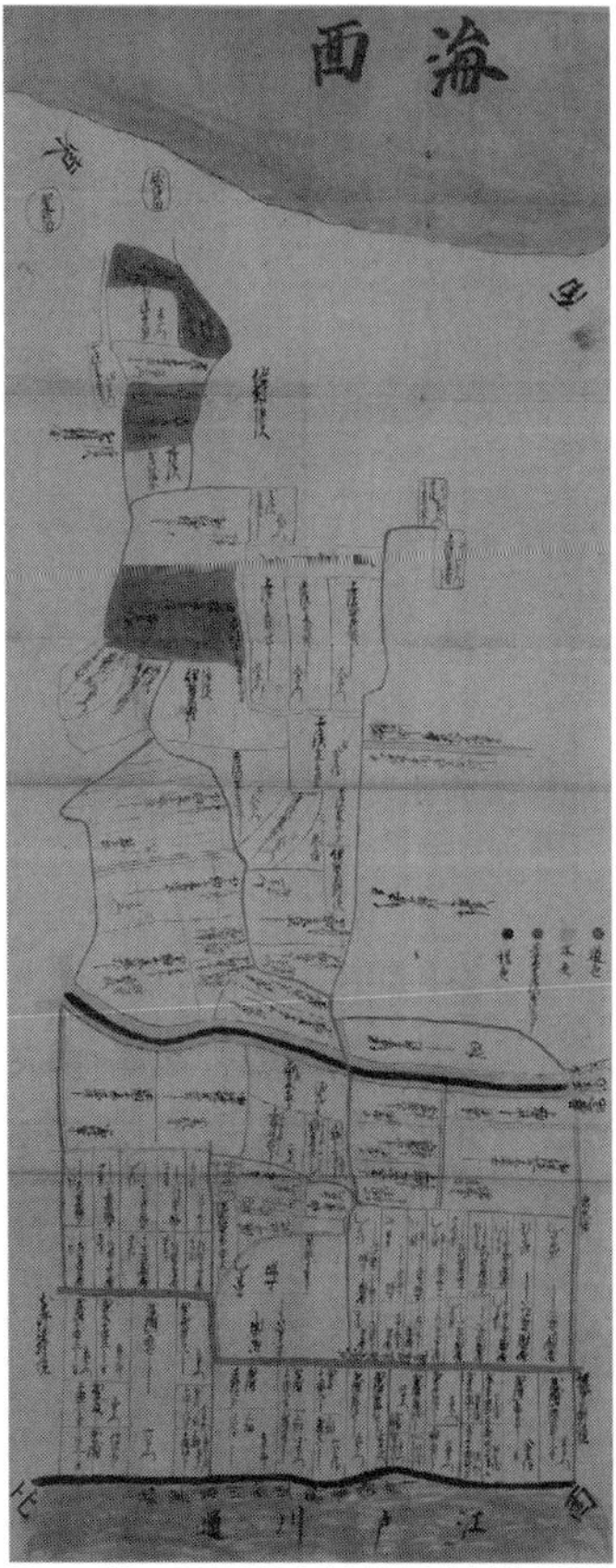

図１　関ヶ島村絵図（市川歴史博物館蔵）

図２　本行徳村絵図（『絵図から見たいちかわ』、市川歴史博物館、2012年より引用）

える必要がある。近年、発見された古文書に、そのヒントが隠されているので、紹介してみたい。

3、荒浜と「災害」

その史料は、享保十四年（一七二九）に作成された「上妙典村《かみみょうでんむら》小前《こまえ》書上ケ《かきあげ》帳《ちょう》」である。史料中には「申年」の記載があることから、前年の享保十三年（一七二八）の被災状況が中心に記載されている。ここでは三つの内容を抽出してみたい。

まず注目されるのは、地震により塩浜に「地窪《ちくぼ》」の箇所ができ、そこへ「悪水《あくすい》」が流れこむという内容である。これは塩浜に窪地ができ、そこへ真水がたまることで「荒浜」ができたことを述べたものとなる。換言すれば、塩浜を維持していくには、出来るだけなだらかな平面にしておく必要があった。平面を維持するのが困難となれば、場所によっては真水が多く入り込み、製塩の出来具合にかかわることになる。このように塩浜における製塩を実施するには、平面にするための諸道具を準備する必要があった。なお、現在、市川歴史博物館の常設展示には製塩のための諸道具が展示されている（【図3】塩浜を平らにすることに使用された道具）。

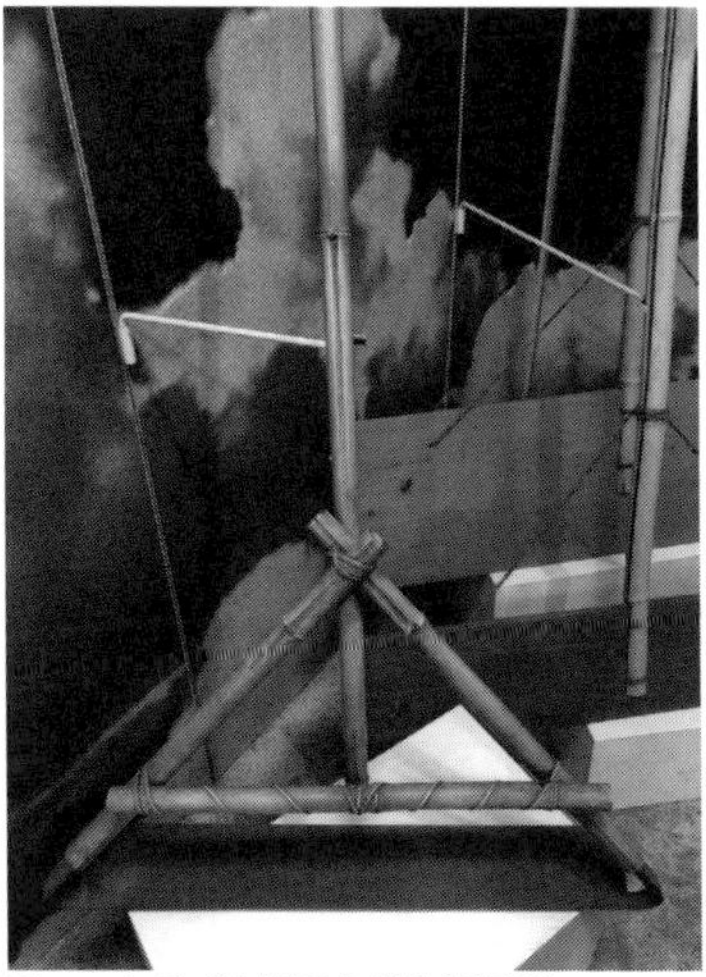

図3　タボ（市川歴史博物館提供）

次に史料から読み取れるのは、内匠堀からの「悪水」により「塩稼《しおかせぎ》」維持が困難になるとする内容である。内匠堀とは、従来、当地の水田などの生産力を高めた用水として強調されてきた。また内匠堀の造成は江戸時代前半における当地の有力者である田中内匠《たなかたくみ》らの「偉業」と評され、内匠堀が呼称として認知されている。しかし、史料では、むしろ内匠堀からの「悪水」（排水）が塩浜に悪い影響を及ぼすことを示している。用水路の整備が、いわば塩浜への真水流入の背景になっているとも言える。まさに、真水と塩浜の調整が重要になる。

最後に、史料には「葦《あし》」などが塩浜に生え、塩浜の状態に悪いとする内容である。これは、塩浜の生態環境に関わる問題だが、「葦」の生育は想定される状況ではなかろうか。葦原となれば、塩浜に適さないことが容易に想定できよう。

このように三点の内容を示したが、塩浜を考えるにあたって次のような状況が確認できた。①塩浜の窪地は「荒浜」の原因になること、②用水路の塩浜への影響、③葦などにみられる生態環境、このような状況の指摘は、至極当然のことのようにも思われるかもしれないが、史料や絵図の内容から判明することの意味は大きいと思われる。また、単純に用水路である内匠堀を肯定的に捉えない視角もみられ興味がもたれる。したがって、どのように用水路を造成するかも、塩浜維持にとっては重要なことであったと考えられる。なお領主との関係で「荒浜」が認められた場合の税負担のあり方など、今後検証すべき問題は多いと言える。

4、囲堤と塩引江川をめぐって

次に宝暦十三年（一七六三）に作成された史料をみてみたい。この史料では、同年の三月・八月、大風雨により「囲堤《かこいつつみ》」や「潮引江川《しおひきえがわ》」が被災したことを示している。特に、三月には上妙典村の「潮引江川」の書き上げが作成されている。「潮引」の文言があるように、端的に言えば、江川とは海水を塩浜に引きこむための水路になる。このうち、史料にある「海面大江川」は、「長《なが》五百三拾壱間《けん》」とあり、比較的規模が大きい。史料には、その「潮引江川」に「流砂《りゅうさ》」が入ることで塩浜稼ぎに支障をきたすことが示されている。また、囲堤も高波で破壊されて被害が生じたという。

但し、このような被害が、どの程度、地域の想定をこえているかは注意を要しよう。史料では、海水の被害に伴い「御普請願《ごふしんねがい》」へと史料内容が加えられている。おそらく塩浜の被害はあったのであろうが、果たしてどの程度、想定をこえた被害であったかは判然としない。被害を誇張する地域側の動向にも留意しておく必要がある。このような御普請願いと「災害」を関連付けた史料は、当地に多く伝来する。

5、塩浜諸道具と「災害」

次に行徳の製塩を捉える上で注目されるのが、様々な諸道具である。それぞれに、どのような役割があるかについては、ここでは詳述できないが、笊取法《ざるとりほう》という方法が採用されていた。なお、行徳の製塩方法を入浜法《いりはまほう》と記されているものも多いが、現状では古式入浜法という方法を重視したほうが無難と言える。

さて、笊取法は名前からわかるように、笊を使用した製塩方法である。これは瀬戸内などの沼井取法と比較して取り上げられることが多い。若干、笊取法を略述しておきたい。まず、笊と桶《おけ》をセットにし、桶の上に笊を置く形をとる（笊と桶の間に竹の簾《すだれ》を配置）。そして、笊の上から塩浜に置き、塩浜から得た塩分を含ませた砂をいれる。次に笊の上から海水をいれ、いわば濾過《ろか》された塩水を桶で取りためる。最終的に、その塩水を土釜で煮つめ、水分を蒸発させることになる。そのため笊や桶は製塩に必要不可欠な道具として塩浜に配置されていた。注目したいのは、この状況下で「水害」、特に高潮などの被害が出た場合の笊や桶のあり方である。なお、当地の江戸時代の古文書には、しばしば「津波」と記されたものがみられるが、実際には高潮を指すことが多いと考えられる。

明和三年（一七六六）、上妙典村で作成された「塩浜《しおはま》諸道具《しょどうぐ》拝借願《はいしゃくねがい》ニ付《つき》再応《さいおう》御吟味《おぎんみ》書上写《かきあげうつし》」では、これらの状況についての貴重な内容が記されている。史料タイトルからもうかがえるかもしれないが、この史料は「津波」により塩浜諸道具が流失し、それに伴い金銭などの「拝借」を願って作成されたものである。

その中では、次のような記事がみえる。「諸道具《しょどうぐ》之《の》儀《ぎ》者《は》壱町歩《いちちょうぶ》ニ付《つき》、桶七拾五・笊百弐拾」などとある。また、これらが揃わないと「塩稼差支《しおかせぎさしつかえ》」ともある。実際には、行徳全体でどの程度の桶や笊が必要であったかは判然としないが、これらの諸道具が塩浜稼ぎにとって、必要不可欠な道具であったことになる。なお本史料は、明和段階において、桶や笊が使用されていたことを示す史料としても貴重である。

そして、本史料には、享保十五年（一七三〇）八月二十八日夜より九月一日まで「大変《たいへん》」と記している。かつての被災状況を書き留めている。一般に、夏場が製塩の盛んな時期であるが、この史料によると、夏場に「高波」の被害が出ると、製塩のため配置されている諸道具に被害が出たことになる。一方、冬場には製塩が盛んでないとすれば、諸道具が、さほど塩浜に配置されていないこととなり、その被害にも違いが出よう。季節ごとの「災害」への対処に関心がもたれる。特に、夏場の台風などの高波は、塩浜諸道具へ被害損失をもたらしたと考えられる。それは製塩のための経費にかかわることになり、領主側への「拝借」の対象ともなっていた。

6、むすびに――海と江戸川に囲まれて

このように当地では、真水の流入に伴う「荒浜」の問題、高波に伴う「潮引江川」などの構造物の被災、さらに諸道具の管理など、多くの諸条件のもとで塩浜が維持されていたことが判明する。そのため、海水や真水の流入状況に応じて、田畑及び塩浜が改変されつつ維持されてきたことになる。なお、既に明らかになっているが、居住地側から、徐々に水田や畑が増加する傾向も重要である。

しかし、次のような課題も今後取り組むべき事象ではなかろうか。それは海から江戸川をのぼった「海水」の行方である。つまり、海水と真水とがあわさり、居住地へ流入する「水」の問題である。この場合、行徳に限らず、いかにして「海水」を居住地にいれないのか。江戸川に限らず

水門管理などが重要になったはずである。河口付近の地域のあり方は、「水」の位置づけとあわせて、今後も研究対象とすべきテーマではなかろうか。

江戸時代、関東随一の製塩の場と評される行徳は、これまで入浜法の性格など、製塩史の視角から紹介されてきた。しかし地域に伝来してきた史料を読んでいると、入浜法のような製塩方法の問題よりも、本章で紹介したように主要な課題は「水」の管理であったことがうかがえる。これは、当地における堤などの普請技術や「土方《どかた》」のあり方も含む問題である。当地における「水」と人々の生存のあり方は、地域史研究の基盤となるテーマであるが、さらに「海の開発」という研究テーマに広げることで、新たな地域史研究の課題とできないだろうか。

参考文献

・『絵図からみた市川』（市川歴史博物館、二〇一二年）
・『隅田川をめぐる文化と産業』（たばこと塩の博物館、二〇一六年）
・菅野洋介「行徳製塩業と沿海インフラ」（『平成二四年度　市立市川歴史博物館館報』市川歴史博物館、二〇一二年）
・菅野洋介「近世における災害と地域社会」（『市史研究いちかわ』九、二〇一八年）

第2部　資料を読み込むのはおもしろい

6

地域のモノ、文字、絵図資料

「御札」から読み解く秋田藩の山林
――山林管理のユニークな制度――

芳賀和樹

1、秋田藩の山林と御札山

出羽国《でわのくに》秋田藩領は、秋田杉と呼ばれる良質なスギに恵まれた。スギは樹木のなかでも比較的成長が早く、幹が真っ直ぐ伸びるので、材木として重宝された。また独特な芳香をもつため、酒樽の材料としても使われた。こうした理由から、藩は多くのスギを伐採して城や役所の建築材にあてたほか、商人を通じて上方《かみがた》・北陸方面へ売り払い、その利益を財源に組み入れた。これらの需要を確保するため、藩はスギが生育する優良な山林を御留山《おとめやま》という直轄林として囲い込み、村人の利用を制限した。

一方、村人の利用が許されたのは、郷山《ごうやま》と呼ばれる村持ちの山林であった。有力な村人は、郷山のほかに符人山《ふにんやま》という山林を個人で所持していた。村人はこれらの山林で家作用の材木、煮炊き用の薪、農業肥料となる草などをとり、暮らしを成り立たせていた。ちなみに御留山でも、藩の許しがあれば薪や草はとることができた。

ところで秋田藩では、御札山《おふだやま》と呼ばれるユニークな制度が採用されていた。御札山とは、山林を保護・育成するため、藩が村人の利用を厳しく制限した山林のことである。十七世紀初頭から領内の各地で設定され、その数は十九世紀初頭の時点で約一〇〇〇か所にのぼる。藩はある山林を御札山に指定する際、その範囲や制限について記した木製の「御札」をつくり、村に命じてその山林へ掲示させた。「御札」の記載は、たとえば次のようなものであった（「秋田郡御札山略図」秋田県公文書館蔵）。

大阿仁《おおあに》荒瀬《あらせ》村《むら》之内《のうち》、上《かみ》ハ堂《どう》の沢《さわ》より下《しも》ハ越畠沢迄《こしはたさわまで》大川前平通《おおかわまえだいらどおり》、林《はやし》に立置《たておく》之間《のあいだ》、下草《したくさ》ニ而《て》も
不可刈取《かりとるべからざる》もの也《なり》
元文五年十一月日　宇都宮帯刀

これによると、秋田郡大阿仁地方の荒瀬村（現・北秋田市）のうち、「上ハ堂の沢より下ハ越畠沢迄大川前平通」という場所で山林を保護・育成するので、たとえ草であってもとってはならない、とある。宇都宮帯刀《たてわき》は家老《かろう》であることから、この「御札」は家老によって出されたことになる。

こうした「御札」の記載は、藩と村の双方で控えが作成された。右に引用した「御札」の記載は、

藩で作成された控えに基づいている。それでは、山林に掲示された「御札」そのものは、どのような大きさ・形をしていたのであろうか。

2、肝煎の家に伝わる「御札」

江戸時代に秋田郡小猿部《おさるべ》地方の七日市《なのかいち》村と品類《しなるい》村（共に現・北秋田市）の肝煎《きもいり》を兼務した長岐《ながき》家には、貴重な「御札」の実物が伝わっている（【写真1】）。その大きさは、おおよそ縦三四センチメートル、横四九センチメートル、厚さ三センチメートルである。裏側には溝《みぞ》が切られているので、棒を下からすべらせて差し込み、立札として山林に掲示されたと思われる。長岐家が務めた肝煎とは村役人の名称で、ほかの地域の名主《なぬし》や庄屋《しょうや》にあたる。長岐家に伝わる「御札」は、詳細は明らかでないが、どこかの時点で御札山から引き上げられたか、あるいは何らかの理由で掲示されずに肝煎の手元で保管されていたものであろう。この「御札」には次のように記されている。

（表）
小猿部《おさるべ》七日市《なのかいち》村御留山《おとめやま》
坊川沢《ぼうかわさわ》之内《のうち》白坂沢《しろざかさわ》より
上相吉沢《かみあいよしざわ》迄《まで》右《みぎ》両《りょう》沢《さわ》峯切《みねきり》

水落《みずおち》次第《しだい》并《ならびに》前平《まえだいら》通《どお》り
沢々共《さわざわとも》、郷中備林《ごうちゅうそなえばやし》に立置之《たておくの》
間《あいだ》、下枝《したえだ》にても不可伐取者也《かりとるべからざるものなり》
文政六年五月日
石塚　主殿（花押）

（裏）

田名部源太
大森　礼蔵
根本　順治
羽生　惣蔵
竹内久米助
岩堀文四郎

これによると、七日市村の御留山である坊川沢のうち、「白坂沢より上相吉沢迄右両沢峯切水落次第并前平通り沢々」の場所を、同村の「郷中備林」として保護・育成するので、たとえ下枝であっても伐り取ってはならない、とある。ちなみに、署名のある七人のうち石塚主殿は家老で、

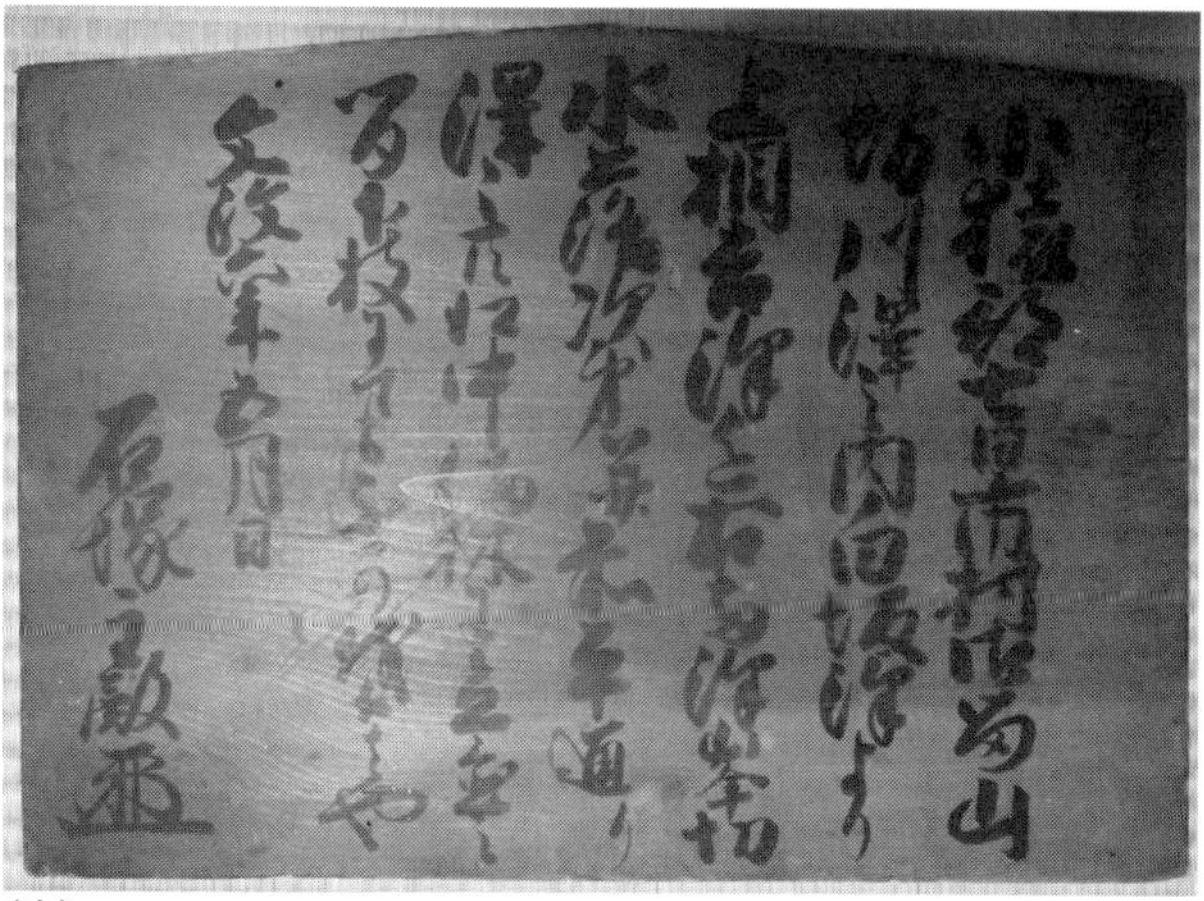

（表）

（裏）

写真１　木製の「御札」（北秋田市「長岐邸」蔵）

裏面の六人は林取立役《はやしとりたてやく》という林政担当役人である。
史料中の「郷中備林」とは村の材木・薪炭需要に備えた山林を指すので、ここからは御留山の一部を七日市村の利用に供する旨が定められたこと、さらにその場所が御札山に指定されたことがわかる。しかし、「郷中備林」として設定することと、下枝であっても伐り取ってはならないという制限は、一見すると矛盾している。藩・村にとって、そもそも「御札」には、どのような意味があったのであろうか。

3、山林に「御札」を立てる意味

興味深いのは、右の「郷中備林」の設定と「御札」の発行が、七日市村の願いに基づいて行われた点である。「秋田郡御札山略図」（秋田県公文書館蔵）には、その経緯を知ることのできる史料が収録されている（【写真２】）。それを翻刻すると次のようになる。

覚《おぼえ》

小猿部

七日市村

当村《とうそん》御《お》留山《とめやま》坊川沢《ぼうかわさわ》之内《のうち》、白坂沢《しろざかさわ》より相吉沢《あいよしざわ》まて、

先年野火焼《せんねんのびやき》にて杉《すぎ》・雑《ぞう》「木《き》」（朱書）とも無之《これなく》、右地所《みぎちしょ》へ杉《すぎ》・雑木《ぞうき》
取立《とりたて》、往々村方備《おうおうむらかたそなえ》にいたし度願申出《たくねがいもうしで》候付《そうろうにつき》、沢所并此節《さわしょならびにこのせつ》
取立置候《とりたておきそうろう》諸苗木《しょなえぎ》見分之上《けんぶんのうえ》、村方《むらかた》へ被任置《まかせおかせ》候間《そうろうあいだ》、出精《しゅっせい》
植立可致候《うえたていたすべくそうろう》、杉成木之上者《すぎせいぼくのうえは》御定之御割合《おさだめのおわりあい》を以可被《もってくだしおか》
下置候《るべくそうろう》、追而御証拠《おっておしょうこ》可被相渡候《あいわたさるべくそうろう》、已上《いじょう》

亥（文化十二年）三月

賀藤清右衛門

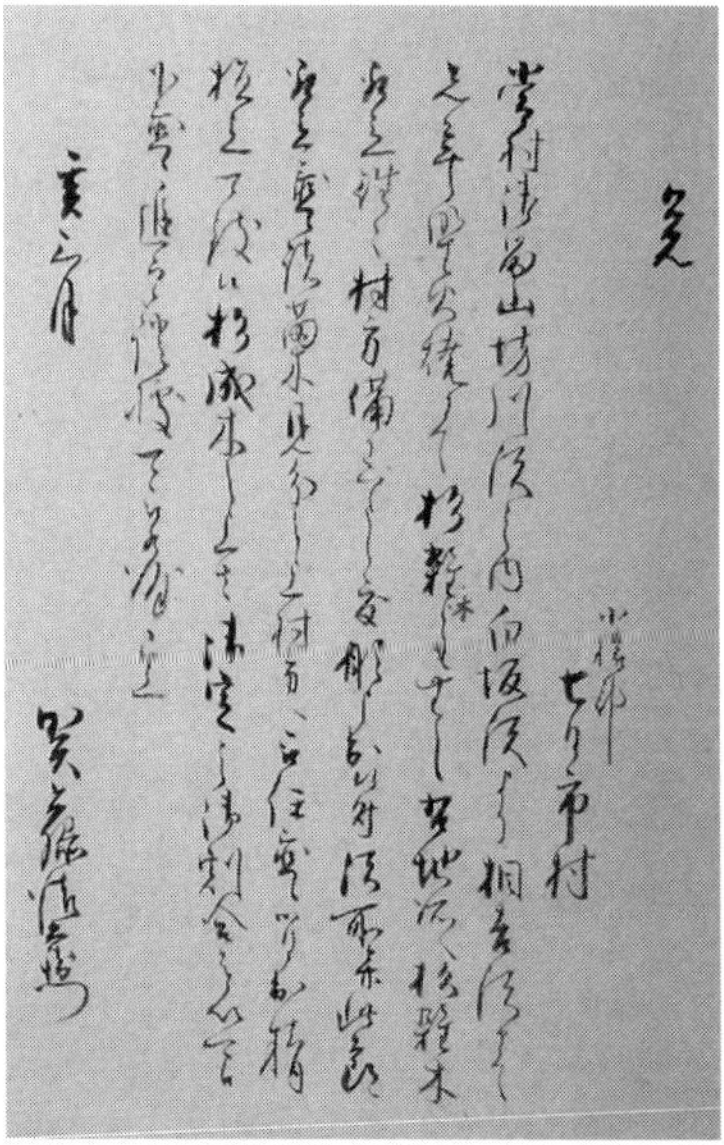

写真２　「秋田郡御札山略図」より「覚」（秋田県公文書館蔵）

これによると、坊川沢のうち「白坂沢より相吉沢まで」は、先年の「野火焼」（山火事）によって樹木が焼失してしまった。これに目を付けた七日市村は、同所でスギや「雑木」（ナラなどの落葉広葉樹）を保護・育成し、村の材木・薪炭需要に備えたいと願い出た。これに対し、木山方吟味役《きやまかたぎんみやく》という林政担当役人を務めていた賀藤清右衛門《かとうせいえもん》は、現

地の沢や植林用のスギ苗を見分した結果、願い通り村へ保護・育成させることにした。スギについては、利用できる太さまで成長したら、「御割合」に基づいて村に与えるという。末尾に「御証拠」は追々渡すとあるが、これは先に紹介した長岐家に伝わる「御札」のことである。ちなみに当時、村がスギを植林した場合、数十年後に利用できる太さまで成長したら、村は植林した本数の三割を藩に納めることで、残りの七割を得ることができた。これが「御割合」の内訳である。

「御札」の意味を探るため、もうひとつの例をあげよう。文政五年（一八二二）三月、七日市村・品類村肝煎の文蔵は、一通の願書を藩へ提出した。その内容は、みずからお金を出して品類村の土地へスギ等を植林し、苻人山に仕立てたので、「御札拝領」を願い上げる、というものであった。これに対し、藩は文蔵へ、該当する山林を文蔵の苻人山として保護・育成するので、たとえ下枝であっても伐り取ってはならない旨の「御札」を与えている（前掲「秋田郡御札山略図」）。

繰り返しとなるが、御札山はこの「御札」にもある通り、草や下枝であってもとることが許されない、利用が厳しく制限された山林である。それにもかかわらず、文蔵が「御札拝領」を願い出た理由は、将来、その山林を利用する権利が約束されるためであろう。数十年後にスギが利用できる太さまで成長したら、文蔵は植林した本数の三割を藩に納めることで、残りの七割を得ることができる。ただし、お金と労力・時間をかけて植林しても、そのままでは周辺の村々に盗伐されるおそれがある。しかし、家老の名前で出された「御札」があれば、ある程度、盗伐を防ぐことができよう。文蔵は、一定期間、草や下枝でさえ利用できなくなるものの、藩の保護を受けるため、「御札拝領」を願い出たものと考えられる。

このように考えると、先に紹介した長岐家に伝わる「御札」の意味も理解できる。七日市村は、御留山であった坊川沢の一部にスギや雑木を仕立て、「郷中備林」とすることを許された。しかし、そのままでは周辺の村々に盗伐されるおそれがある。同村にとって、【写真1】に示した「御札」は、一定期間の利用制限と引き替えに、将来の山林利用を保証してくれる重要な証拠であったといえる。

一方、この「御札」という仕組みは、藩にとっても少なからぬ意味があった。先述の通り、村がスギを植林した場合、数十年後に利用できる太さまで成長したら、藩はその本数の三割を入手できる。藩は「御札」を用い、将来の利用を保障することによって、多くの村に植林をうながし、より多くのスギを獲得しようとしたのであろう。

このように山林に「御札」を立てるという行為は、村と藩の双方にとってメリットがあるものであった。

4、絵図にみる御札山

文政年間（一八一八～三〇）になると、藩は御札山の場所や様子を描いた絵図を作成し、これに「御

写真３　「秋田郡御札山略図」より坊川沢の御札山（秋田県公文書館蔵）

札」の記載を書き添えた「御札山略図」を郡ごとに編纂《へんさん》した。この時期には、林政担当役人が藩庁に居ながら、領内の各地に点在する御札山を把握できる仕組みが整えられた。最後に「秋田郡御札山略図」（秋田県公文書館蔵）から、長岐家の「御札」に記されている坊川沢の様子を紹介しよう（【写真3】）。

まず河川は青色、道路は赤色で示され、流域の山林は緑色で描かれている。この緑色は、草や「雑木」が生い茂っている様子を表現したものである。右側（東）の山林には、針状の青色の線が複数みてとれる。これはスギを示している。他方、左側（北）の山林には、茶色の線とそれに直交する青色の線で表現された樹木が複数描かれている。これはマツを示している。絵図の中央上部には「雑《ぞう》木《き》若木《わかぎ》立《だち》／自然杉少々《しぜんすぎしょうしょう》／松間原《まつまばら》」とあり、絵図の表現を裏付けている。ただし、スギについては「自然杉」すなわち天然のスギに関する記載しかないことから、七日市村によるスギの植林は、あまり進展していなかったようである。なお、右上に記されているのは「御札」の内容であり、表記の違いは若干あるものの、長岐家に伝わる「御札」の文言と一致する。

ここまで「御札」をキーリードにして、地域に伝わるモノ（「御札」の実物）、文字、絵図などの史料をみてきた。御札山とは、藩と村の双方の利益が合致した、山林管理のためのユニークな制度であったのである。

参考文献

・鷹巣町史編纂委員会編『鷹巣町史』第一巻（鷹巣町、一九八八年）
・芳賀和樹・渡部圭一・加藤衛拡「阿仁銅山山麓における森林資源利用の均衡と対抗」（徳川林政史研究所『研究紀要』第五〇号〈『金鯱叢書』第四三輯所収〉、二〇一六年）
・芳賀和樹「秋田藩における御札山の管理・利用」（徳川林政史研究所『研究紀要』第五一号〈『金鯱叢書』第四四輯所収〉、二〇一七年）

〔付記〕七日市村の御札山の地名については、北秋田市在住の清水修智氏、長岐賢一氏から御教示を得た。

また史料調査にあたっては、長岐賢一氏、秋田県公文書館の方々にたいへん御世話になった。心より御礼申し上げる。

7

出土状況と立地から探る

下総と武蔵の埴輪

―ふたつの地域でつくられた埴輪をもつ古墳―

鬼塚知典

対象地域

1、下総と武蔵

埼玉県の東部に位置する春日部市には、古隅田川《ふるすみだがわ》、大落古利根川《おおおとしふるとねがわ》、庄内古川《しょうないふるかわ》（中川）という、かつて利根川や渡良瀬川《わたらせがわ》の水を受けて乱流した「古」を名称に含む河川が流れている（【図1】）。これらは、律令期以降、武蔵国《むさしのくに》と下総国《しもうさのくに》の国境として機能した。最も古い国境を構成する古隅田川は、現在、元荒川から古利根川へ流下しているが、江戸時代初頭までは、利根川の水量を一手に引き受け、古利根川から元荒川へ流れた、利根川の本流であった。

その古隅田川を眼下にのぞむ大宮《おおみや》台地上の春日部市内牧《うちまき》地区は、古代律令期には武蔵国であって、国境を見下ろす地であった。昭和五十二年（一九七七）、内牧地区に所在する塚内《つかない》古墳群の古墳の一つ、塚内四号墳の発掘調査が行われた。調査では、四基の埋葬主体が発見され、鉄刀などの副葬品とともに、周溝《しゅうこう》から下総地域にみられる円筒埴輪《えんとうはにわ》と武蔵地域にみられる円筒埴輪が出土

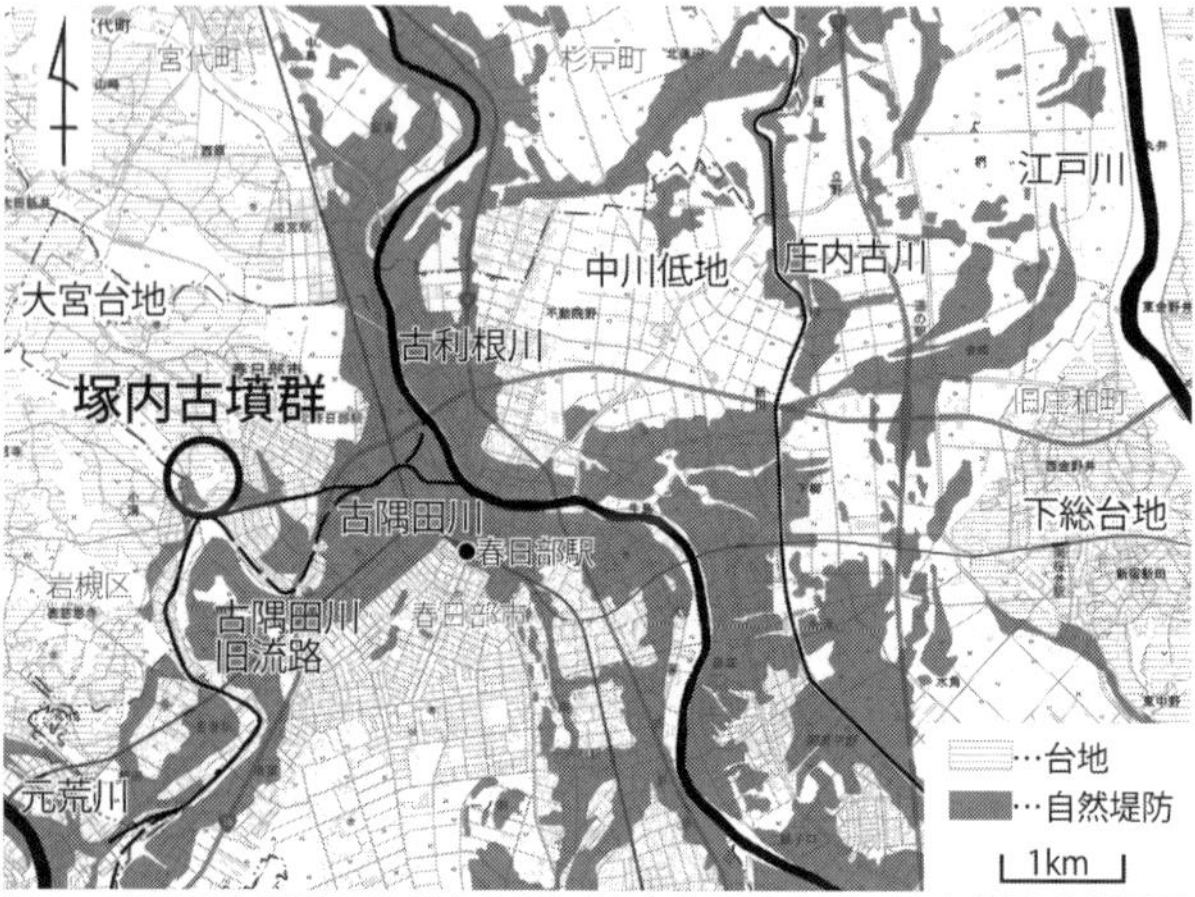

図１　春日部市周辺の地形と河川（国土地理院地図に治水地形分類図更新版に基づく地形を追記）

した。円筒埴輪は、古墳の墳丘《ふんきゅう》を取り囲むように樹立されるもので、通常、一つの古墳では一種類の円筒埴輪が使われる。塚内四号墳はその原則を破り、明らかに異なる二種類の円筒埴輪を樹立していることで話題となった。

２、塚内古墳群

塚内古墳群は、古墳時代後期、六〜七世紀にかけて形成された群集墳である。幕末から明治初期に書かれた地誌『春日部《かすかべ》記草《しるしぐさ》』（春日部市教育委員会、一九八二年所収）では、「古塚多く、矢の根、古太刀、古土器など折々土中よりほり出す」との記述がある。東西約五〇〇ｍ、南北約六〇〇ｍの範囲に現在、一九基の古墳が確認されている。昨今の開発に先立つ発掘調査では、墳丘部分を失った古墳の周溝のみを発見する事例が増え、古墳の数が徐々に増加している。古墳群は、標高一〇～一二mの大宮台地上に立地し、低地部分からのびる谷の周りに古墳が分布する。谷の南方には、古隅田川の旧流路が迫っている。塚内古墳群の古墳は前方後円墳であったと伝わる古墳が一基ある他は、大きいものでも直径三〇m程度の円墳である。墳丘を残すものが六基あり、それぞれ一～二m程度の高さがある。築造当時も約二・五mの高さであったと推定される。墳丘を残す古墳は春日部市の史跡に指定され、住宅の庭などで、家の守り神として大切に保存されている。

3、塚内四号墳の調査

塚内四号墳は、古墳群の東に位置し、昭和五十二年（一九七七）、市史編さんに起因して、発掘調査が行われた。この調査は、現在のところ、塚内古墳群における古墳墳丘の唯一の調査事例である。墳丘上からは棺《ひつぎ》の周りを粘土で敷き詰めた「粘土槨《ねんどかく》」三基と、木炭で敷き詰めた「木炭《もくたん》槨《かく》」一基の計四基の埋葬主体が確認され、鉄刀三振り、石鏃《せきぞく》、ガラス小玉が出土した。周溝からは人物埴輪、朝顔形埴輪、円筒埴輪が出土した。出土遺物は、春日部市の有形文化財に指定されている。円筒埴輪は細身で三条の突帯《とったい》をもつ下総系のものと、短身で二条の突帯をもつ武蔵系のものがある。この時行われた発掘調査は、部分的に掘るトレンチ調査なので、埴輪の全体量は不明なものの、系統ごとの出土量の比率は、下総系七に対し、武蔵系が三と報告される。形象埴輪について、頭部から胸部まで残存する美豆良《みずら》の男性の人物埴輪は、胎土《たいど》から武蔵系のものとみられ、他に下総系の形象埴輪の小破片も出土している。埋葬施設や出土した埴輪から、築造は六世紀前半と考えられ、塚内古墳群の中では、もっとも古いものと推定される。調査成果は『春日部市史　考古資料編』（春日部市教育委員会、一九八八年）にて報告されている。

4、「下総型」と「下総系」・「武蔵型」と「武蔵系」

考古学では、遺物の分類において「型式」「形式」「様式」といった用語を使う。「型式」は、遺物の形態や文様などで分類し、分類ごとの時間的な変遷、地域的な検討を行って、遺物の時間的、空間的位置を明らかにする。設定された型式は、縄文土器の「黒浜式《くろはましき》」、「加曽利《かそり》E式《しき》」のように「○○式」と呼ばれる。埴輪における「型」は、土器の型式よりさらに狭い分類で、同一の工人集団が作ったものと推定できる時に用いられる。生活雑器の土器と違い、一定の期間に一定の集団で集中的に作られる埴輪だからこその分類である。一方、埴輪の「系」とは、同一系統と認められるものの、型の設定に至らない場合などに使用される。「下総型埴輪」の場合、認定する要件が確立している「下総型」に対し、その系譜上にあるものに「下総系」を使う。

武蔵と下総の円筒埴輪のちがいは、昭和三十八年（一九六三）、塩野博氏によって杉戸町の目沼《めぬま》古墳群の調査において初めて指摘された。「八坂神社裏の古墳」から出土した二条突帯をもつ円筒埴輪は埼玉「県北の埴輪」であり、同じ目沼古墳群の瓢箪塚《ひょうたんづか》古墳（七号墳）で出土した円筒埴輪は「下総系の埴輪」と説明した（杉戸町教育委員会、一九六四年）。轟《とどろき》俊二郎氏は研究をさらに進め、「下総型埴輪」を設定した（轟、一九七三年）。その要件は、①三条突帯、四段構成、②第二段、第三段に比べて第一段が幅狭、③底径《ていけい》対口径《こうけい》対高さの比がほぼ一対二対四、④突帯の下側のナデつけが不十分で突出度が低い、⑤基部から口縁部まで一気に積み上げる、⑥縦長の透孔《すかしあな》を穿《うが》ち、指ナデ調整を行うなどが挙げられる（犬木、一九九五年）。塚内四号墳の下総地域の円筒埴輪は、轟氏の要件③について、口径の開きが小さく、高さも低い。また、⑥の透孔も、横長にあけられる。これらの特徴は、六世紀後半に確立した「下総型埴輪」より古い年代の円筒埴輪に見られるという。

一方、武蔵系の円筒埴輪について、『春日部市史　考古資料編』では、「『下総型』に対して『武蔵型』という名称を便宜的に使用」して説明されるが、「武蔵型」という型式は、いまだ設定に至っていない。

これらのことより、塚内四号墳の円筒埴輪に対しては、「下総系」「武蔵系」という用語を用いたい。塚内古墳群の四号墳以外の古墳では、これまで二号墳と十五号墳からまとまった量の円筒埴輪の出土があり、いずれも下総系の円筒埴輪のみが出土している。

5、塚内四号墳の円筒埴輪

塚内四号墳の円筒埴輪を、実測図と写真から詳しく見てみよう（【写真1】、【図2】）。二条突帯の武蔵系円筒埴輪は、色調は赤褐色、素地の粘土に荒い砂粒を多く含み、下総系よりも硬く焼き上がっている。埴輪の高さは約三九㎝、口径は約二五㎝、底径は約一五㎝、器壁の厚さは総じて一㎝前後、下半部がやや厚くなる。二条の突帯は、全体の高さに比して、高い位置に付けられ、一番下の第一段が長くなる。突帯は断面がアルファベットの「M」のように中央を低く、また下側の稜が突出するように整えられる。埴輪に独特の透孔は、切れ味の鋭い恐らく鉄製の道具で、やや縦長のものが第二段に一対あけられる。

器表面には無数の平行線が見られ、刷毛《はけ》でつけられたかのようであることから、「ハケメ」と呼んでいる。実は、器表を整えるために板の小口を使用していて、小口部分に現れた年輪のやわらかい春材《はるざい》（早材）部分がへこみ、硬い秋材《あきざい》（晩材）部分がそのまま残る事によって生じる凹凸が、平行線を引いている。埴輪に残るハケメの研究はデジタル技術の進歩とともに近年急速に進んでおり、同じ工具で付けられたハケメを見出すことにより、製作に関わった工人を特定し、埴輪の生産体制を追究している。

塚内四号墳の武蔵系の円筒埴輪は、外面のみに縦に引かれたハケメが残る。一度に引かれたハケメの幅は約二㎝、その幅の中に八本ないし九本の平行線が引かれる。内面はハケメが残らず、

写真１　下総系円筒埴輪（左）と武蔵系円筒埴輪（右）
（春日部市郷土資料館提供）

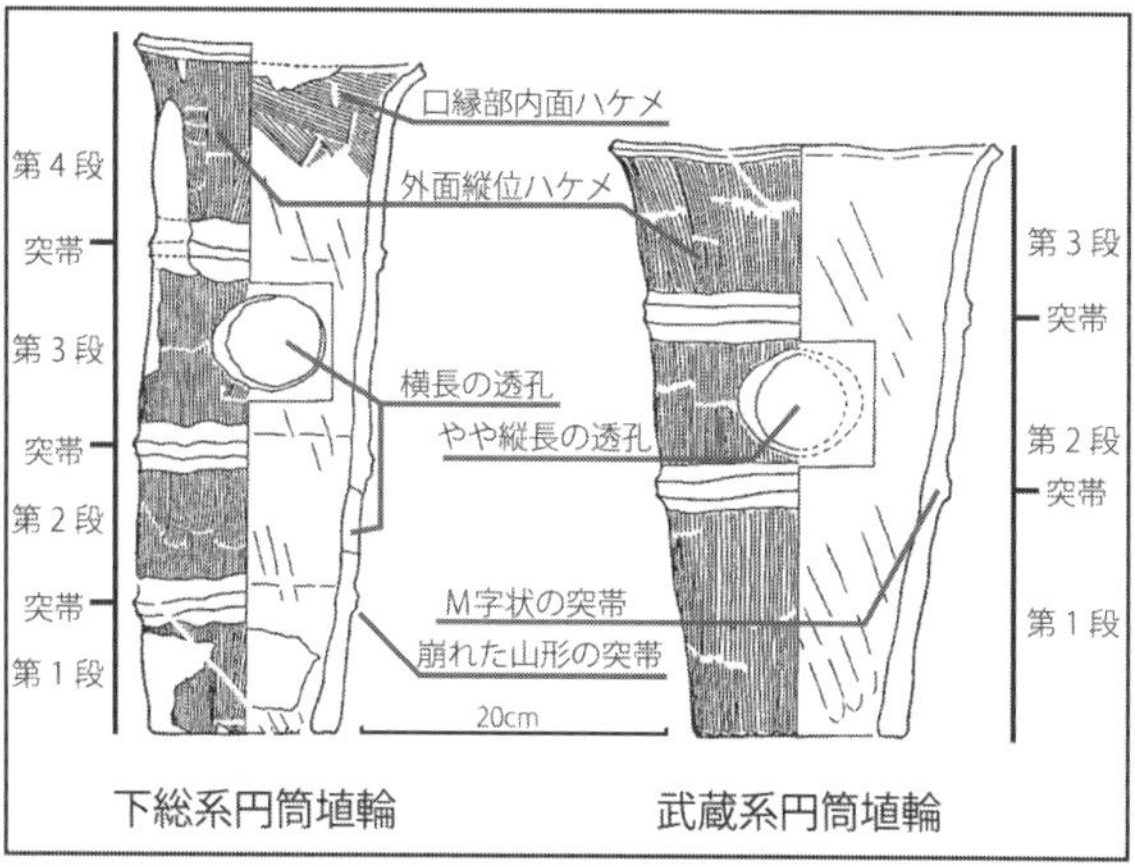

図２　下総系円筒埴輪と武蔵系円筒埴輪の実測図（春日部市教育委員会、1994 年に追記）

指で丁寧になでた痕跡が残っている。

一方、塚内四号墳の下総系の円筒埴輪は、色調は黄褐色、褐色であり、素材の粘土は精緻で、荒い砂粒は含まない。焼き上がりは武蔵系に比べてやわらかい印象を受ける。埴輪の高さは約四五㎝、口径は約一九㎝、底径は約十三㎝、器壁の厚さは一～一・五㎝となる。突帯は、全体の高さに比してやや低い位置に付けられ、第四段が一番長くなる。突帯の断面は崩れた山形になる。突帯の上下を布か革状のものを使ってなでている。透孔はやや横に長い楕円形のものが、切れ味が鋭くない工具で二段目と三段目にあけられ、内側を指で整形している。ハケメは、外面は縦に、また口縁部の内面に横から斜めにつけられたものが残る。塚内四号墳で出土した下総系の円筒埴輪全体を見ると、突帯は、崩れた山形のほかに台形、三角形のものがあり、また、ハケメの幅は約二㎝で、その間に七～一〇本の平行線が見られるものと一二～一三本のものの二種類が認められる。

塚内四号墳からは、使用される粘土や製作技法、出来上がりの形が明らかに異なる二系統の円筒埴輪が混在して出土している。完全な形にならない破片でもこれらの特徴を持ち合わせているものが多く、分類することができる。

６、二系統の埴輪が出土した古墳群、古墳

一つの古墳で武蔵系と下総系の二種類の円筒埴輪が確認されたのは、現在のところ塚内四号墳のみである。周辺の古墳群や古墳で下総と武蔵の埴輪が出土したものを見てみよう。

目沼古墳群は、埼玉県杉戸町目沼、標高約一〇mの下総台地の一部である宝珠花《ほうしゅばな》台地上に立地する。前方後円墳四基、円墳二〇基からなる。古墳群の中で最古の年代の五世紀末から六世紀初頭に築造された前方後円墳、浅間塚《せんげんづか》古墳（十号墳）、また六世紀前葉の円墳とみられる十九号墳からは、二条突帯の武蔵系の円筒埴輪が出土している。一方、六世紀中葉から後葉の前方後円墳、瓢箪塚古墳（七号墳）と円墳、十一号墳からは、三条突帯の下総型円筒埴輪が出土した。前述の通り、下総、武蔵の埴輪を認識するきっかけとなった古墳群である。

東深井《ひがしふかい》古墳群は、千葉県流山市東深井、標高約一三mの下総台地上に立地する。現在の利根川側から樹枝状に西に入り込む谷の最奥部に位置する。かつては四〇基ほどの古墳が存在したといわれ、現在は前方後円墳一基を含む一三基の古墳が残る。このうち、六世紀前半の一号墳、九号墳からは、二条突帯の武蔵系円筒埴輪が出土し、六世紀中葉の七号墳、十号墳からは三条突帯の下総系円筒埴輪が出土している。

法皇塚《ほうおうづか》古墳は、千葉県市川市国府台《こうのだい》、江戸川の東、標高約二二mの下総台地上に立地する。全長六三mの前方後円墳で六世紀後半に築造された。周辺にいくつか古墳が確認されており、国府台古墳群を形成している。発掘調査では、横穴式石室が確認され、装身具や武具、馬具など様々な副葬品が出土し、埴輪は円筒埴輪、朝顔形埴輪と家形埴輪や人物埴輪などの形象埴輪がある。その産地について、円筒埴輪がすべて下総型埴輪であるのに対し、形象埴輪の多くが埼玉県鴻巣《こうのす》市の生出塚《おいねづか》埴輪窯で作られた武蔵系のものということが判明している。

目沼古墳群と東深井古墳群には、古墳群内に下総系の円筒埴輪を樹立する古墳と武蔵系の円筒埴輪を樹立する古墳がそれぞれある。また法皇塚古墳は、下総型円筒埴輪と武蔵系の形象埴輪を組み合わせている。紹介した古墳はいずれも下総台地の西部に位置し、大宮台地の塚内古墳群を含めて下総と武蔵の埴輪が混在する地域ととらえることができる。

7、塚内四号墳で円筒埴輪はどのように樹立されたか

塚内四号墳から出土した二系統の埴輪は、古墳築造時、どのように樹立されたのだろうか。『春日部市史　考古資料編』によると、塚内四号墳では、下総系の円筒埴輪と武蔵系の円筒埴輪が、周溝の上層から混在して出土しており、この状況は、埋葬が複数回行われ、それに伴って埴輪も複数回、樹立されたという見解では説明できないという。すなわち埴輪を複数回樹立する際、二回目以降は今まであった埴輪をすべて除去しているとすると、一回目に樹立された埴輪の出土量は極端に少なくなり、二回目以降に樹立された埴輪と混在して出土しない。また破損した埴輪のみを置き換えて樹立したとすると、二回目以降に樹立された埴輪の量が相対的に少なくなり、最

初に樹立され、破損した埴輪片が下層から出土し、その上に両者が混在して出土するが、そのような状況も見られなかった。報告者は、武蔵系の円筒埴輪は六世紀前半代、下総系の円筒埴輪は六世紀中葉代のものであり、時期差は複数回樹立を示すという見解に対し、これらの埴輪の年代決定はどちらかに誤りがあると指摘し、複数回の樹立を否定している。

周辺の古墳群の状況を振り返ってみると、目沼古墳群、東深井古墳群の、武蔵系の円筒埴輪をもつ古墳は下総系の円筒埴輪をもつ古墳よりも時期が古いことがわかる。しかしながら、法皇塚古墳は、円筒埴輪は下総型、形象埴輪は武蔵系と、一時期における補完的な出土状況を示している。塚内四号墳においては、報告者と同じく出土状況を鑑み、古墳築造時に下総系と武蔵系の円筒埴輪が同時に樹立されたと考えたい。

8、河川と塚内古墳群

塚内古墳群が立地する大宮台地の眼下には、古隅田川が流れている。塚内古墳群の下総系埴輪は、この河川を通じて下総台地からもたらされたと考えられる。春日部市近辺の中川低地に形成された自然堤防をみると、現在の川の流れとは異なり、東から西へのびるものが目立つ。また東西にのびる自然堤防の一部には、古墳時代の遺跡が立地している。これらのことから古墳時代には、傾斜が少ない中川低地を、大河川がより湾曲して流下していたことが想定できる。湾曲の一部は、古隅田川のような東西に流れる河川となり、大宮台地と下総台地間の舟運も行われていたことであろう。塚内古墳群の下総と武蔵の埴輪からは、河川交通を通じて頻繁に人々が行き来していた風景を思い浮かべることができる。

参考文献

・杉戸町教育委員会『杉戸町目沼遺跡』埼玉県杉戸町文化財調査報告第一集（一九六四年）
・轟俊二郎『埴輪研究』第一冊（一九七三年）
・春日部市教育委員会『春日部市史』第三巻　近世資料編Ⅲノ二（一九八二年）
・春日部市教育委員会『春日部市史』第一巻　考古資料編（一九八八年）
・春日部市教育委員会『春日部市史』第六巻　通史編Ⅰ（一九九四年）
・犬木努「下総型埴輪基礎考」（『埴輪研究会誌』第一号　一九九五年）
・流山市教育委員会『流山市史』通史編Ⅰ（二〇〇一年）
・市立市川考古博物館『市川市出土の埴輪』市立市川考古博物館研究調査報告（二〇〇二年）
・杉戸町『杉戸町史』考古資料編（二〇〇三年）
・財団法人千葉県資料研究財団『千葉県の歴史』資料編　考古二（弥生・古墳時代）（千葉県、二〇〇三年）
・大学合同考古学シンポジウム実行委員会編『埴輪づくりの実験考古学』（学生社、二〇〇六年）
・城倉正祥「千葉県流山市東深井九号墳出土埴輪」（『埴輪研究会誌』第一一号　二〇〇七年）
・春日部市郷土資料館『夏季展示（第四五回）古墳時代の祈り』（二〇一二年）

8

身近な文化財を読み解く

浅草寺の西仏板碑
——中世における家族の供養——

伊藤宏之

対象地域

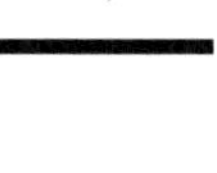

1、はじめに

金龍山浅草寺《きんりゅうざんせんそうじ》（聖観音宗《しょうかんのんしゅう》）は、隅田川の西岸、浅草の中央部に位置する。『浅草寺縁起』によると、創建は推古天皇三十六年（六二八）に遡《さかのぼ》るといい、都内屈指の古刹として知られる。本尊の聖観世音菩薩は霊験あらたかな秘仏として、中世より人々の信仰をあつめた。それは、後深草院二《ごふかくさいんのに》条《じょう》や道興准后《どうこうじゅごう》ら貴顕の参詣はもとより、都内唯一の坂東三十三観音霊場札所であることからも窺える。また、境内には数多くの神仏が勧請された。それは、薬師、閻魔、恵比寿、大黒、不動、熊野などはもちろん、淡島堂《あわしまどう》（淡島神社）、西宮戎社《にしのみやえびすしゃ》（西宮神社）、銭塚地蔵《ぜにづかじぞう》（兵庫県西宮市）、一葉《いちよう》観音《かんのん》（法性寺《ほうしょうじ》）など、各地方固有の信仰にもおよび、その有様は『浅草寺志』に詳しい。

この様子を、竹内誠氏は「神仏のデパート」と評した。明治初年の神仏分離や上知によって、数多くの小祠仏堂や石造物は整理されたが、それでもいまだに様々な神仏を拝することができる。

こうしたことが、さらに人々の信仰心を喚起し、現在まで観音霊場、参詣寺院として多くの参拝者を惹き付けている。

これらのなかには、中世に造顕された石塔の一種である「板碑《いたび》」も含まれる。とりわけ「西仏《さいぶつ》板碑」（東京都指定文化財）と呼ばれる大型の板碑（【図1】）は、江戸時代より多くの知識人たちに注目され、浅草寺を代表する古物として、地誌や随筆に取り上げられてきた。一方、この板碑の銘文からは造立の趣旨が知られ、中世に遡る在地史料の少ない浅草地域にとっても貴重な史料といえよう。

本章では、この西仏板碑に焦点を当てつつ、当時の状況を確認しながら中世の浅草地域との関係を考えてみたい。

2、西仏板碑の概要

関東地方に分布する板碑は、埼玉県秩父《ちちぶ》郡・比企《ひき》郡等から産出する「緑泥片岩《りょくでいへんがん》（緑泥石片岩）」を素材としたものが多く、とくにそれらを「武蔵型板碑」と呼ぶ。西仏板碑も武蔵型板碑のひとつである。

その概要を示すならば、現況、頭部を欠失し、塔身の半ば程で二分断しているが、石柱と鉄棒で固定して立てられている。大きさは、現状で高さ二一八・五㎝、幅四八㎝、厚さ七㎝である。

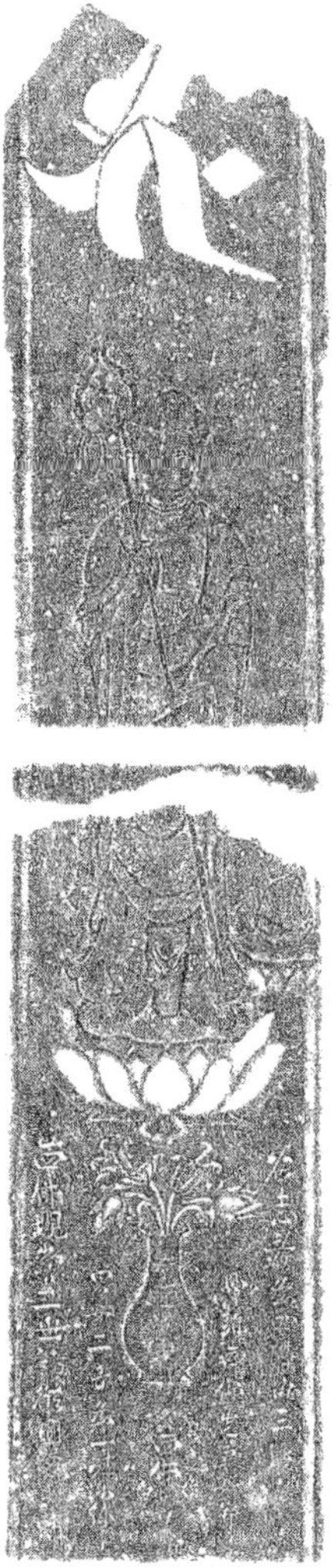

図２　西仏板碑（拓影）

図１　西仏板碑

塔身面には枠線を廻らし、本尊として釈迦種子《しゃかしゅじ》（バク）と仏《ぶつ》図像をあらわす（【図２】）。仏図像は、肉髻《にっけい》、三道《さんどう》をあらわす。前を向いて、蓮華座上に両脚を揃えて立つ。衲衣《のうえ》は右肩に少し懸かって左肩を覆う。左腕は垂下し、掌を前にして第一・二指を捻じて他指を伸ばす。右腕は屈臂《くっぴ》して胸前で錫杖《しゃくじょう》を執る。仏図像の下方には、精緻で写実的な花瓶《けびょう》を一口あらわす。花瓶には未敷《みふ》蓮華などが四本描かれている。花瓶の左右と下方には銘文が刻まれる。

さらに、仏図像向かって右方には一人の人物像をあらわす。人物は仏に向かって合掌し、蓮華座の上に座る。人物像は欠損部に当たっているため、姿は判然としないが西仏本人と考えられる。つまり、西仏の肖像画が描かれていた可能性がある。似絵《にせえ》等の肖像画は平安時代より始まるが、事例の多くは朝廷や幕府の貴顕を描いたものである。さらに供養者当人を描いたものであれば、この人物像は西仏の寿像《じゅぞう》といえよう。後述するように、本板碑は十三世紀中期の所産と考えられることから、関東地方の在地における肖像画の古例としても注目できるだろう。

このように写実的な花瓶や、仏に向かう人物などの表現は、武蔵型板碑中に類例を見出せず、きわめて独自性の高い意匠といえる。

3、西仏板碑の図像

西仏板碑にあらわされた本尊図像の尊名については、江戸時代以来、多くの識者によって、上部に刻まれた種子（バク）から釈迦如来とする説、また、錫杖を執る姿から地蔵菩薩とする説などが示されてきた。

頭部にあらわされた肉髻は、本像が如来であることを物語る。一方、錫杖を持つ姿は地蔵菩薩をあらわすが、地蔵の頭部は円頂で肉髻や螺髪《らほつ》の表現はない。つまり本像は、錫杖を執る如来像と捉えられるが、一般にこうした例は知られない。こうした異形の表現が、尊名を異にする状況を生んだといえる。

ところで、埼玉県北西部から群馬県南部では、本尊を阿弥陀種子（キリーク）と地蔵図像で複

表1　本尊の種子・図像複合表現をする板碑

No.	年代	西暦	種子	図像	所在地
1	弘長元年	一二六一	阿弥陀三尊	地蔵一尊	宝泉寺	埼玉県行田市
2	文応二年	一二六一	阿弥陀一尊	阿弥陀三尊	観福寺	埼玉県行田市
3	文永七年	一二七〇	欠失	阿弥陀三尊	宗心寺	埼玉県嵐山町
4	文永八年	一二七一	欠失	地蔵一尊	光恩寺	群馬県千代田町
5	文永九年	一二七二	阿弥陀一尊	阿弥陀一尊	浅草寺	東京都台東区
6	文永十年	一二七三	欠失	地蔵一尊	愛宕神社	群馬県館林市
7	文永十二年	一二七五	阿弥陀一尊	阿弥陀一尊	おねんぼう様	埼玉県吉見町
8	文永	一二六四～七五	阿弥陀一尊	地蔵一尊	盛徳寺	埼玉県行田市
9	不詳		釈迦一尊	阿弥陀・地蔵合体	浅草寺	東京都台東区
10	不詳		阿弥陀三尊	地蔵一尊	東善寺	埼玉県熊谷市

合的にあらわす例が知られる（【表１】）。こうした本尊表現について、服部清道氏は『諸神本懐集』などに言う、「地蔵弥陀同体異名《じぞうみだどうたいいみょう》」の思想に起因するものと指摘した。また川勝政太郎氏は、地蔵と阿弥陀を同体とする考え方があることを指摘し、矢田型地蔵の例を挙げつつ、西仏板碑の仏図像は来迎相の阿弥陀如来に錫杖を持たせたものであるとした。

後述するように、本板碑は西仏の亡き妻と二児、さらに自身の供養のために造立されたものである。亡妻を極楽浄土に摂取する阿弥陀如来と子どもの守護仏である地蔵菩薩を合わせることで、妻子の安寧を祈る西仏の願意を表現した可能性が考えられる。つまり本板碑の仏図像は、釈迦如来や地蔵菩薩ではなく、阿弥陀如来と地蔵菩薩を合体させた表現であると考えておきたい。

４、西仏板碑の類例と年代

西仏板碑には紀年がみられないことから、その年代を考えるには、他の資料との比較が必要である。縣《あがた》敏夫氏は、種子と図像を複合的に表現した本尊形式が十三世紀後半に集中することから（【表１】）、本板碑の年代を文永期と捉えた。しかし、浅草寺の文永九年（一二七二）銘板碑（【図３】）は、種子の形状、蓮座や花瓶の意匠等が西仏板碑と大きく異なる。西仏板碑にみえる種子の形状や、花瓶の意匠は文永九年銘板碑より古様《こよう》を示す。さらに板碑の形態や種子の形状などから、建長期までは遡らないものの、文永期以前の十三世紀中期（一二五〇年代後半から一二六〇年代前半）の所産に位置付けられるのではないだろうか。

さて、西仏板碑に描かれた本尊、人物、花瓶などの図像は、輪郭線の周囲の面を浅く削って、輪郭線を凸線であらわしている。いわゆる陽刻《ようこく》の一種だが、【表1】で示した中に、同じ彫刻技法がみられる例は、ほとんど確認できない。こうした彫刻表現は、観音菩薩一尊図像板碑（円福寺《えんぷくじ》・埼玉県美里《みさと》町）が知られるが、近隣では牛島神社（墨田区）に所在した阿弥陀一尊図像板碑に見出せる（【図4】）。牛島神社旧蔵の板碑は破片だが、板碑幅や図像の寸法なども西仏板碑とほぼ同じである。細部に異なる点が認められるものの、両者は、同規模で似た雰囲気をもつ板

図3　文永9年銘板碑

図4　阿弥陀一尊図像板碑（墨田区・牛島神社旧蔵）拓本はすみだ郷土文化資料館所蔵。

表2　西仏板碑・牛島神社所蔵板碑の比較

		西仏板碑	牛島神社
板碑	幅	48.0	50.3
	厚	7.0	1寸5分
本尊	像高	87.0	80.8
	髪際高	81.5	75.8
	頂－顎	16.5	16.0
	面長	10.5	－
	面幅	8.7	8.0
	耳張	10.5	10.5
	肘張	25.5	24.0
	裾張	28.0	27.7
	光背　縦	－	21.7
	光背　幅	－	23.0

注）牛島神社板碑のデータは「板碑ニ就テ述ブ」及び墨田区すみだ郷土文化資料館所蔵の拓本を基にした。

碑だったのであろう（【表2】）。年代も、ほぼ同時期と考えられる。

なお、牛島神社の別当最勝寺《べっとうさいしょうじ》（現在は江戸川区に移転）は貞観二年（八六〇）創建と伝える古刹で、江戸時代には浅草寺の末寺であった。このことと両者の板碑の関係は不明だが、板碑造立の背景や地域の歴史を理解するために留意したい。

5、西仏板碑の銘文

西仏板碑の銘文に関しても、さまざまに判読が試みられてきた。とくに「躰」の文字が判読しづらいため、その文字の理解に論点があったが、川勝氏の判読によって一応の決着をみた。

右志者為四躰内三躰」沙弥西仏先妻女并」男女二子為一躰沙弥」西仏現当二世諸願円満」西仏〈敬白〉」

（」は改行、〈〉は割書き、「西仏〈敬白〉」は花瓶の下方に刻まれる）

「右（この板碑造立）の志は、四体の内三体は沙弥西仏の先妻女と男女二子のため、一体は沙《しゃ》弥《み》西仏の現当二世諸願円満のためである。西仏が敬って申す」

沙弥とは出家したての見習僧を意味したが、やがて在俗妻帯の出家者を呼んだ。つまり西仏は俗人で、浅草寺に属する僧ではなかったようである。また従来「先妻女」は死別した妻と理解される。西仏は妻との死別を契機に出家したのであろうか。「現当二世」とは現在世（此岸）と当来世（彼岸）の意味で、現世でも来世でも諸々の願いが満足に叶うことを願ったものである。

つまり本板碑は、沙弥西仏が亡くなった妻の追善と男女二子、自身の死後の安寧を願って（逆《ぎゃく》修《しゅ》供養）造立したものである。ところで、銘文には死去や追善をあらわす語がなく、男女二子の生死は不明である。おそらく二子は幼児であり、父西仏は妻の追善と自身の逆修供養に合わせて二子も供養したのであろう。

6、家族の供養

西仏板碑は、父西仏が家族の供養のために造立したものだが、中世では極めて珍しいことである。中世石塔は、個人または結衆の供養として造立されたものが多い。夫婦の造立はあるが、子ども（成人前の人）を含む家族を供養した例は極めて少ない。それは、親が子どものために石塔

図5　嘉元2年銘板碑

を造立する事が稀だったことと関係すると考えられる。

仁治元年（一二四〇）銘の「小島田の供養碑」（前橋市）は、橘清重《たちばなのきよしげ》が亡き子息の菩提を弔うために造立した。金沢貞顕《かねさわさだあき》は、幼くして亡くなった息子のために、釼阿《けんな》に五輪塔の造立を依頼した（「金沢文庫古文書」二一号「金沢貞顕書状」）。十五世紀以降には童子《どうじ》・童女《どうにょ》名をもつ板碑も散見できるが、四万七〇〇〇基を超えるともいわれる武蔵型板碑の中では僅かにすぎない。水藤真氏が「板碑が多く大人のためのものであった」と指摘したように、子どもは大人（成人）と異なるかたちで供養されたのであろう。

浅草寺から出土した嘉元二年（一三〇四）銘板碑は、亡き父母とともに己の妻の供養を行なう（【図5】）。家族を供養した板碑の一例だが、この中に子どもは含まれていない。このようにみてくると、いかに西仏板碑が特別なものであったかがわかるだろう。

7、西仏は誰か

『江戸名所図会《えどめいしょずえ》』には、西仏の候補者として三人の名が挙げられる。なかでも『吾妻鏡《あずまかがみ》』にみえる「鎌田三郎入道西仏」と考証する説は根強く語られ、西仏板碑を保持する石柱にも刻まれる。しかし現在、いずれの説も退けられており、具体的に人物比定することは叶わない。しかし、これまで述べてきたように、板碑の規模や内容に鑑みれば、浅草地域における有力者であったことは想像に難くない。

図６　弘安３年銘板碑

湯浅治久氏は、浅草を含む千束《せんぞく》郷《ごう》は千葉氏の領有だったとし、一方で江戸氏の権益も存在したという。とくに江戸氏は石浜《いしはま》を領有し、また浅草寺と千束郷内の所領をめぐって争論している。江戸氏が支配した石浜には、法源寺《ほうげんじ》（現・保《ほ》元寺《げんじ》）や総泉寺《そうせんじ》（現在は板橋区に移転）等、多くの板碑を蔵した寺院が所在し、その中には、本尊を善光寺如来図像とするものや大日真言を五輪塔に図案化したもの（双円性海塔《そうえんしょうかいとう》）など、埼玉県北部と関連する板碑も多い。こうした地理的関係は、西仏板碑にもみられ、その造立に江戸氏が関係した可能性もあるだろう。さらに想像を逞《たくま》しくするならば、「秩父平氏系図」（『正宗寺本諸家系図《しょうしゅうじぼんしょけけいず》』）に江戸重長《えどしげなが》の法名「成仏」が見える。「畠山《はたけやま》系図」では「心仏」とするが、西仏は重長の法名に因んだ可能性はないだろうか。

弘安三年（一二八〇）銘板碑（浅草寺）は、沙弥西願が逆修のために造立したが、西願も在俗の出家者で、西仏と一字を共有する。いずれの法名も一般的なもので、文字の共通から人物やその関係性を明らかにすることは難しいが、一連の板碑の造立者に江戸氏一族を想定することも、可能性のひとつとして念頭に置いてもよいのではないか。そういえば、本板碑も二重枠線の間に菱形文を配置し、脇侍蓮座《わきじれんざ》の下方に格狭間《こうざま》を表現するなど、やはり埼玉県北部との共通性が看取される（【図6】）。

8、おわりに

西仏板碑は都内でも屈指の大きさを誇るが、造立までに掛かった費用はいかばかりだったのであろうか。延慶四年（一三一一）銘名号板碑（蓮田《はすだ》市）は、唯願が真仏の供養のために造立した。板碑の規模は西仏板碑のほぼ倍で、背面に「銭已上佰五十貫《ぜにいじょうひゃくごじゅっかん》」と刻む。この金額が板碑の値段か、

表3　石塔類費用一覧

	年代	西暦	名称	金額	被供養者	出典
1	鎌倉時代		反花座	1貫500文		称名寺文書「倹覚書状」
2	延慶4年	1311	板碑	150貫	真仏	板碑銘文
3	延慶・正和	1308-17	石塔・釘貫	3貫		師守記
4	康永4年	1345	石塔・釘貫	3貫600文	中原師右	師守記
5	文明6年	1474	石塔	5貫	経覚	大乗院寺社雑事記
6	明応元年	1492	石塔	8貫	一条兼良	大乗院寺社雑事記
7	明応3年	1494	石塔	9貫（うち1貫は梵字）	尋尊	大乗院寺社雑事記
8	永正6年	1509	石塔	2貫	専実	永正年中記

（水藤真『中世の葬送・墓制』を基に作成）

あるいは供養の総額とみるか、見解の分かれるところだが、多額の費用が費やされたことは間違いない。西仏板碑に関しても応分の出費が予想される。

【表3】は記録等にみられる石塔の実費をまとめたものである。多くが五輪塔と想定され、また、延慶四年銘板碑の特異性が際立つ。時代や塔形も異なることから、単純な比較は難しいものの、西仏板碑の規模から類推すれば、一〇貫を下回ることは無かったのではないか。つまり、西仏は信心深いだけでなく経済的にも余裕のあった人物であろう。さらに、供養された子どもたちも、相応の立場にあった人物だったと考えられる。

浅草の地域には中世を通じて「有徳人《うとくにん》」や「長者《ちょうじゃ》」と呼ばれた富裕層が多くいた。それは東京湾の最奥に位置する浅草・石浜の地が、水上交通と陸上交通の要衝であり、そこに集う商業や流通に携わる人々を中心に、富が生まれ富裕層が出現したと考えられている。五味文彦氏は、西仏もこうした有徳人の一人だったのではないかと推定している。石浜を支配した江戸重長も「八か国の大福長者」と称されたことが知られる（『義経記《ぎけいき》』）。

また、既に触れてきたように当該地域では、銘文は少ないものの、文永・弘安期から多くの板碑が造立されてきた。これらのなかには、埼玉県北部の板碑と共通する意匠が見出され、かかる地域とのつながりが想定できる。そのことを、板碑の製品流通として捉えるか、またはデザインの共有と把握するかで描かれる地域史像は異なるが、いずれにせよ、その背景には河川や道路などで構築された、地域間の密接な繋がりが強く想定される。

さらに西仏板碑が造立された浅草寺境内からは、多数の板碑とともに渥美《あつみ》産壺《さんつぼ》や常滑《とこなめ》産壺《さんつぼ》等の蔵骨器が出土している。こうした遺物の出土分布は浅草寺境内の西側に広がっていたと想定され、中世に供養地（葬地）が形成されていた可能性もある。こうした、屈指の霊場の地に立つ西仏板碑は目立つ存在だっただろうし、このような板碑の造立が許容される人物も地域の中において限られた存在だったのではないか。

西仏板碑は、こうしたさまざまな社会的、地域的背景の中で、それぞれが関係しあって造立されたのである。

参考文献

・白井光太郎「板碑ニ就テ述ブ」（『東京人類学会雑誌』第四巻第三五号、東京人類学会、一八八〇年）
・稲村坦元「青石塔婆（板碑）」（『日本考古図録大成』第一三輯、日東書院、一九三一年）
・服部清五郎『板碑概説』（鳳鳴書院、一九三三年）
・速水侑『地蔵信仰』（塙書房、一九七五年）
・川勝政太郎「浅草寺西仏板碑と銘文」（『史迹と美術』四七九号、史迹美術同攷会、一九七七年）
・縣敏夫「浅草寺の西仏板碑」（永峯光一・坂詰秀一共編『続江戸以前―蘇った中世の東京―』東京新聞出版局、一九八二年）
・金澤邦夫「画像板碑」（坂詰秀一編『板碑の総合研究』一総論編、柏書房、一九八四年）
・小林靖「地蔵信仰と子供をめぐって―賽の河原思想の伝播と普及―」（『鴨台史論』創刊号、大正大学大学院史学会、一九八七年）
・千々和到『板碑とその時代』（平凡社、一九八八年）
・水藤真『中世の葬送・墓制―石塔を造立すること―』（吉川弘文館、一九九一年）
・『台東区の板碑（浅草篇）』（台東区教育委員会、一九九四年）
・宮島新一『肖像画の視線―源頼朝像から浮世絵まで―』（吉川弘文館、一九九六年）
・竹内誠『江戸の盛り場・考―浅草・両国の聖と俗―』（教育出版、二〇〇〇年）
・『称名寺の石塔―中世律宗と石塔―』（神奈川県立金沢文庫、二〇〇二年）
・『台東区のたからもの―寺社所蔵の文化財に見る歴史・文化―』（台東区教育委員会、二〇〇五年）

・五味文彦『日本の中世を歩く―遺跡を訪ね、史料を読む―』（岩波書店、二〇〇九年）
・湯浅治久「中世の千束郷―浅草寺と湊町石浜・今戸、そして隅田―」（『台東区文化財講座記録集　中世の千束郷』台東区教育委員会、二〇一三年）
・伊藤宏之「浅草寺における考古学的調査―これまでの調査成果と今後の課題―」（『文化財の保護』第四八号、東京都教育委員会、二〇一五年）
・伊藤宏之「中世の浅草地域」（『東京都江戸東京博物館　調査報告書』第三〇集「浅草地域のあゆみ―江戸の信仰とにぎわい―」江戸東京博物館、二〇一六年）
・加須屋誠『記憶の図像学―亡き人を想う美術の歴史―』（吉川弘文館、二〇一九年）

図1～3、5、6：台東区教育委員会提供、図4：墨田区すみだ郷土文化資料館所蔵

借用証文をどう理解するか

9

借用証文の読み方
――村のリアルな金融事情――

荒木仁朗

対象地域
神奈川

1、村の借用証文を読む

古文書が所蔵されている蔵を見学すると、大量に残されている古文書の量に驚かされるだろう。村の名主家が所蔵していた古文書いわゆる地方《じかた》文書の点数は、多いと三〇〇〇点から五〇〇〇点、場合によっては一万点を超える。点数が膨大な地方文書の中で一番多く残されているものは、お金の貸し借りに関する文書であると言われている。具体的に言えば金子借用証文や土地売買証文などの証文類である。この種の文書は、判読が簡単なため初心者向きのテキストに使用される。具体的にはどのような内容であろうか。手始めにある一通の金子借用証文を読んでみたい（【写真1】）。

〔翻刻文〕

借用申金子之事

一金拾弐両也

右者無拠入用御座候ニ付、借用仕処実正ニ御座候、御返済之儀者御利足ヲ加江御入用次第急度御返済可仕候、為後日、依而如件

安政二乙卯年正月

府川村

借主

名主七兵衛㊞

穴部新田

御名主与右衛門様

〔読み下し〕

借用《しゃくよう》申す金子《きんす》の事

一《ひとつ》金拾《じゅう》弐《に》両也《なり》

右《みぎ》は拠《よんどころ》無き入用《にゅうよう》御座《ござ》候《そうろう》に付《つき》、借用仕処実正《しゃくようつかまつるところじっしょう》に御座《ござ》候《そうろう》、御返済之儀《ごへんさいのぎ》は御利足《ごりそく》を加え御《ご》入用《にゅうよう》次第《しだい》、急度《きっと》御返済仕《ごへんさいつかまつ》るべく候《そうろう》、後日《ごじつ》の為《ため》、依而《よって》件《くだん》の如《ごと》し

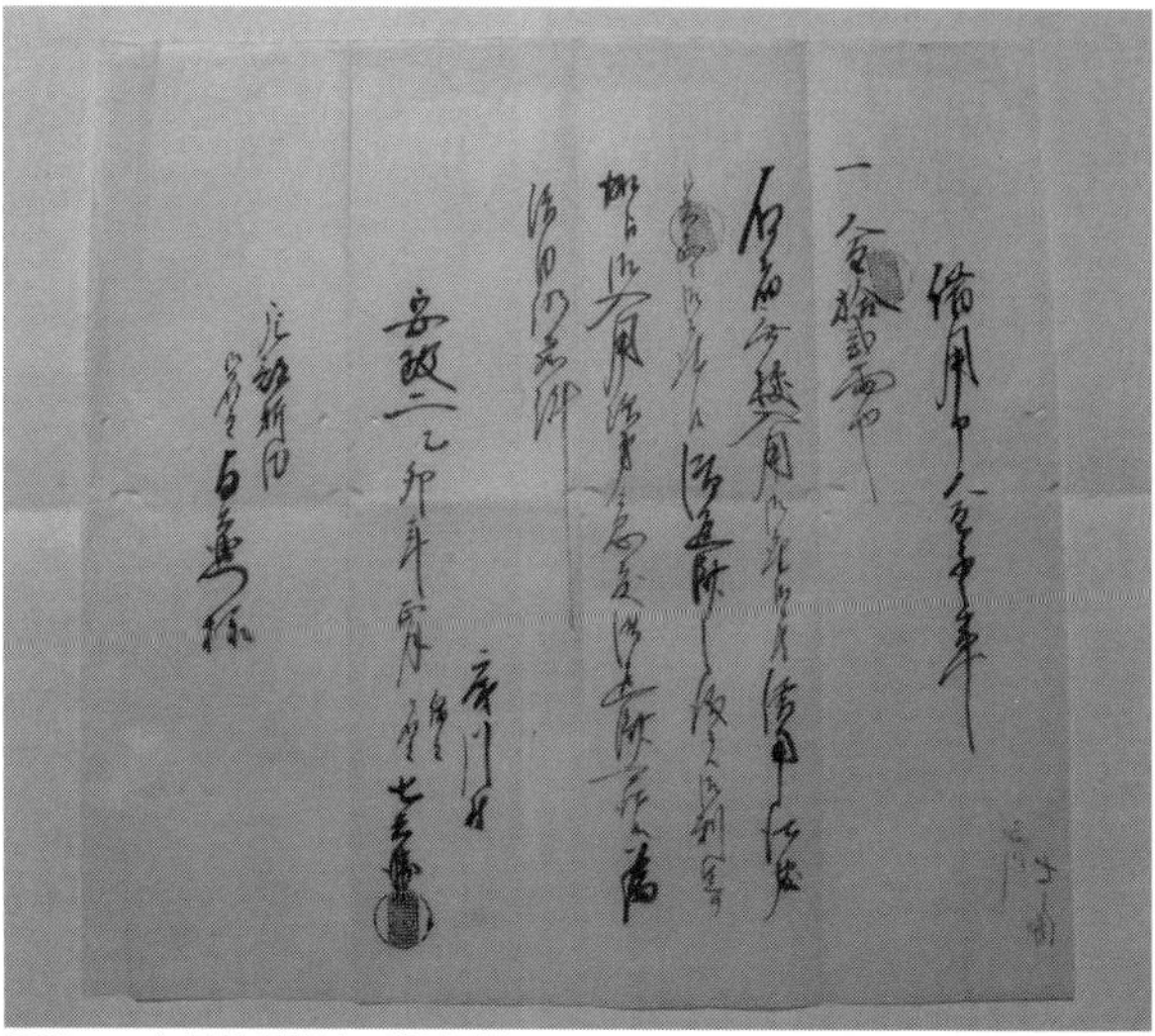

写真１　金子借用証文（個人蔵）

この史料は、安政二年（一八五五）正月に相模国《さがみのくに》足柄下《あしがらしも》郡府川《ふかわ》村（現神奈川県小田原市）名主稲子《いなご》七兵衛《しちべえ》が近隣の穴部新田《あなべしんでん》（現小田原市）名主与右衛門《よえもん》に金一二両を借用したさいに作成された金子借用証文である（稲子家文書商業・金融Ⅰ三〇三）。返済に関しては、貸主である穴部新田与右衛門が返済を必要とした時（「御入用次第」）、利息を加えて必ず返済するとされた。この史料は、安政二年正月に相模国足柄下郡府川村名主稲子七兵衛が近隣の穴部新田名主与右衛門に金一二両を借用したと一般的には解釈されるであろう。しかし、この解釈は正確ではない。この金子借用証文の正確な解釈は、借り手である稲子七兵衛と貸し手である穴部新田与右衛門の間における貸借関係全体を理解しないとできない。要するに、借りてから返すまでの過程を理解することである。では、稲子家の借金事情はどのようであろうか。

2、村の借金事情

実は、稲子家には「金《きん》銀《ぎん》入《いり》出《で》帳《ちょう》」という借金帳簿が残されている。この帳簿は、天保十一年（一八四〇）十二月から明治四年（一八七一）までの稲子家による借金について、貸主別に借金の始まりから返済の終了までを書き出していたものである（【写真２】、稲子家文書商業・金融Ⅰ二四五）。なお、この史料には稲子家による貸し付けはほとんど見られない。この「金銀入出帳」を素材として、稲子家による穴部新田与右衛門への借金返済をみていきながら、稲子家の借金事情を考えたい。

写真２　「金銀入出帳」（個人蔵）

稲子家は「置居《おきすえ》」と称して返済期限が迫って返済が不可能である場合は、それまでの利息だけを支払い、元金の支払を延期させていた（荒木、二〇一〇）。この「金銀入出帳」を通覧すると、元金の支払を据置くことを「置居」以外にも「書替《かきかえ》」や「借居《かりすえ》」と記載していた。以下では煩雑なため、金子借用証文の返済期限にそれまでの利息を支払い、借用した元金の返済は次の返済期限（大概は六ヶ月〜一ヶ年）まで据置いてもらうことを「書替」と表記を統一する。

もともと稲子七兵衛は弘化元年（一八四四）十二月二十六日、穴部新田与右衛門より金五両を借金し、嘉永三年（一八五〇）まで毎年十二月利子を支払い「書替」を行ない、元金の支払を据え置いて延期させてもらっていた。また嘉永三年二月稲子家は借用金五両の支払を据置いてもらっていた与右衛門に対して、婚礼のため別口として金五両を借金した。そして稲子家はおそらく同年十二月と思われるが、弘化元年借金五両と今回嘉永三年借金五両、計一〇両の嘉永三年分利息金一両二朱銭《しゅぜに》一六〇文《もん》を支払っていた。

この事実から、稲子家は借金の支払を据置いてもらっていた人（家）からまた再び借金を行なっていたといえる。この以後も嘉永六年（一八五三）までこの二口の借用元金を「書替」して元金の支払を据置いてもらっていた。

嘉永七年（一八五四）正月五日稲子家は、二口の借金計一〇両の支払を延期していた与右衛門に対して別口としてまた金二両を借金した。そして、嘉永七年（安政元年）十二月二十二日稲子家は、弘化元年借金五両と嘉永三年借金五両、今回の嘉永七年借金二両計三口の借用元金一二両に対する、嘉永七年分利足金一両一分三朱を支払っていた。記載された「辰年《たつどし》戌年《いぬどし》寅年《とらどし》三口借《さんくちしゃく》用《よう》」とは、先述した弘化元年借用金五両と嘉永三年借用金五両、嘉永七年借用金二両の三口のことである。安政二年十二月十二日稲子家は借用金三口の本年分に対する利金一両一分三朱を与右衛門へ支払って「書替」していた。

しかし、この「書替」記載の下部に貼紙があった。この貼紙は、最初に読んだ安政二年正月府川村名主稲子七兵衛が穴部新田名主与右衛門へ作成した金子借用証文の写しであった（【写真３】）。本文はまったく同じである。

ただ、奥書に「右《みぎ》者《は》此度《このたび》古証文《こしょうもん》相下《あいさ》ヶ新証文《しんしょうもん》壱本《いっぽん》ニ改《あらた》メ遣《つかわ》し申候様《もうしそうろうよう》ニ御座候《ござそうろう》、以上《いじょう》」とある。奥書の「古証文」とは当然三通の金子借用証文であり、新証文とは安政二年正月作成の金子借用証文を意味している。つまり、安政二年正月段階で弘化元年借用金五両と嘉永三年借用金五両、嘉永七年借用金二両計三口の金子借用証文を新たに借り直して、一通の金子借用証文にまとめて合算して（「証文壱本」）作成し直したといえるだろう。

また、この安政二年正月段階の借り直した金子借用証文において初めて、「御入用《ごにゅうよう》次第《しだい》急度《きっと》御《ご》返済《へんさい》可仕《つかまつるべく》候《そうろう》」という文言が加えられた。「書替」していく中で貸借契約の条件を変更することが可能であったことを示している。

この後、稲子家はどのように返済をしていくのであろうか。安政二年十二月十二日稲子家は、借用元金一二両の利息を支払い「書替」すると同時に、元金の一部である五両を与右衛門へ支払っ

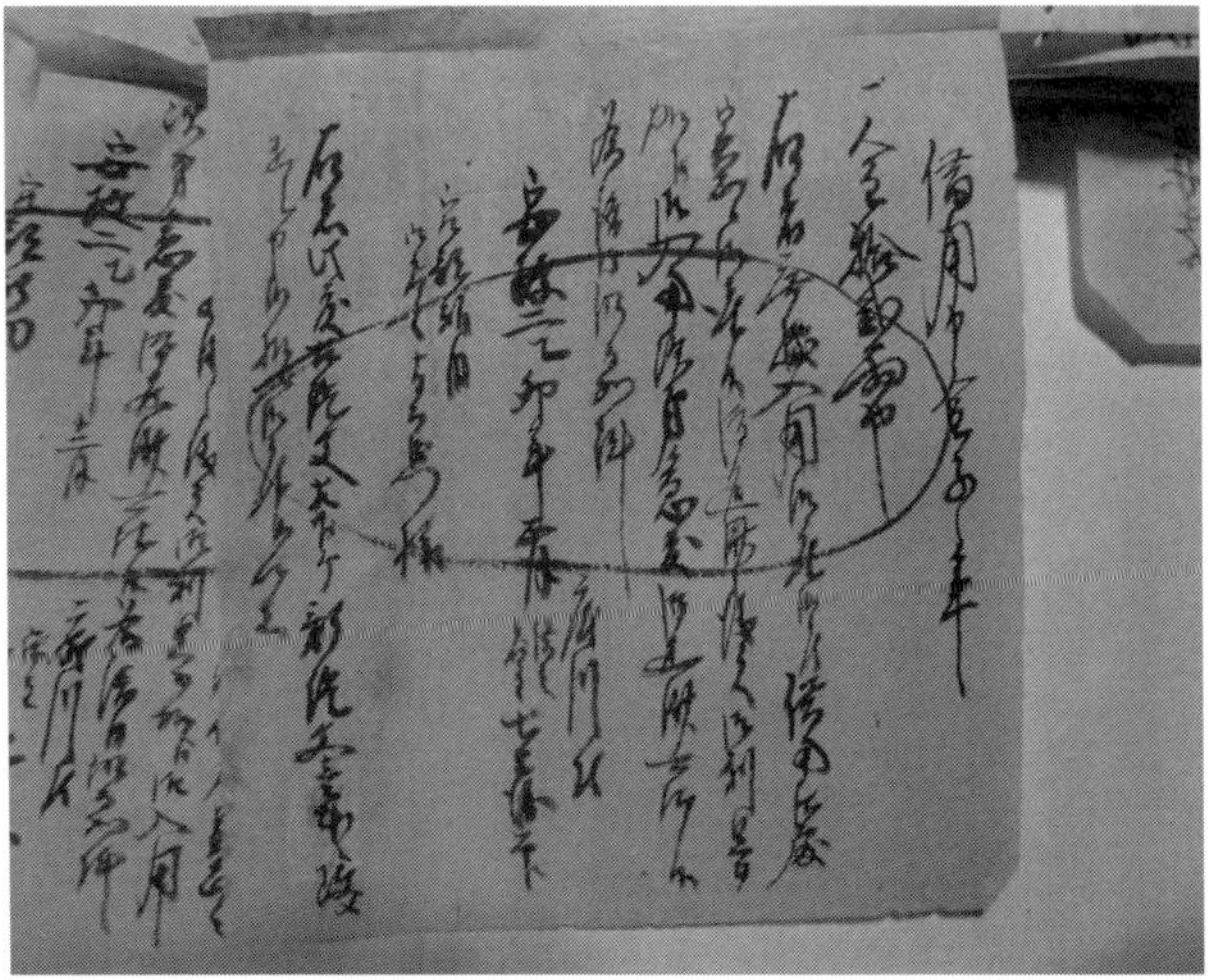
写真3　貼紙（個人蔵）

ていた。この結果、稲子家による穴部新田名主与右衛門への借用元金は七両となった。

しかし、この後の記載である「安政二乙卯《きのとう》年十二月証文書替改《しょうもんかきかえあらた》メル」とは、どのような意味であろうか。実は、この記載の下部にまた貼紙があった。この貼紙は、先と同様に安政二年十二月府川村名主稲子七兵衛が穴部新田名主与右衛門へ作成した金子借用証文の写しであった。その内容は、安政二年十二月府川村名主稲子七兵衛が金七両を「御入用次第急度御返済可仕候」という文言を加えて穴部新田名主与右衛門から借用したとされる。

奥書には「右者《みぎは》此度《このたび》別帳《べっちょう》之《の》通《とおり》元金《がんきん》五両《ごりょう》返済《へんさい》申候《もうしそうろう》ニ付《つき》、古証文《こしょうもん》受取《うけとり》新証文《しんしょうもん》ニ書替改《かきかえあらた》メ遣《つかわ》し申候《もうしそうろう》」とある。奥書の「古証文」とは当然安政二年正月作成の借り直した金子借用証文であり、「新証文」とは安政二年十二月作成の金子借用証文を示している。

つまり、安政二年正月三通の金子借用証文を新たに借り直して作成した借用金一二両である一通の金子借用証文から、安政二年十二月借用元金五両を支払ったため、金子借用証文を新たに借り直して、改めて借用金七両である一通の金子借用証文を作成し直したといえるだろう。その後、結果として合計一四回の「書替」を行った末に、安政五年（一八五八）七月十一日稲子家は、ようやく穴部新田名主与右衛門に対して元金返済を終了させた。約一四年も返済に要したのであった。

3、借用証文の解釈と大量に残された証文類の意味

稲子家は、借用相手に対して複数の金子借用証文を統合して新たに借り直して金子借用証文を作成したり、元金の一部を返済していく中で借り直して金子借用証文を作成していたのであった。稲子家に即して言えば、概《おおむ》ね一〇両以上の金子借用証文は、複数の小額である金子借用証文を統合（「証文壱本」）した結果と考えられる。この事実は借用証文の解釈上重要な意味を持つ。それは金子借用証文が現在残されていたとしても、その証文のみを以てこの時初めて記載された金額を借金した（ないしは貸付ていた）という風に史料解釈できるとは限らないということである。

その一方で元金の一部を返済していく中で、借り直して借用元金より少ない額の金子借用証文

を作成し直したこともあろう。少なくとも複数の借金を合算して借り直した場合や、借用元金の一部を返済した場合の可能性がありえるのではないかと検討するべきである。言い換えるならば、一通の金子借用証文は借金の初めから返済終了までの過程の一齣《こま》ともいえる。

なお、借り直して金子借用証文を作成し直すだけでなく、金子返済条件として年利を減少させたり、土地売買証文を作成して借り直しもなされていた（荒木、二〇一四）。検討したように、稲子家による穴部新田与右衛門への借用証文は、借りてから返すまでの一四年間で少なくとも五通は作成されている。

現存されているもの以外にも金子借用証文が多く作成されていたことを考えると、大量の証文類が残されているのも納得するのである。大量の借用証文が物語るものは、一〇〇両、二〇〇両など多額の借金より一両、一両であったり、場合によっては一両にも満たない一分や一朱といった、少額の貸借が幾度も繰り返されたという事実である。ここから、借り手と貸し手の間における村のリアルな金融事情をイメージできよう。

参考文献

・『小田原の近世文書目録1　稲子家文書』（小田原市立図書館編、一九七九年三月）。本章で引用する際には同書の文書分類番号を記載する。

・荒木仁朗「近世後期村役人の金子借用と返済―「金銀出入帳」の分析を通じて―」（『小田原地方史研究』二五号　二〇一〇年）

・荒木仁朗「日本近世農村における債務と証文類」（『歴史評論』七七三号、二〇一四年）

10

政府に振り回された地方

千葉県庁に伝来した文書の謎

平野明夫

1、千葉県庁舎でみつかった朱印状

ここで取り上げるのは、千葉県庁に伝来した文書である。これらは、徳川氏歴代の将軍が、朱印を捺して出した朱印状で、本寿寺《ほんじゅじ》（現千葉市緑区）等の六つの寺社に所領を与え、保証した文書である。県庁で作成・授受されたのではない文書が、なぜ県庁に伝来したのか。その謎を推理してみようというのである。

そこでまずは、朱印状に関わる事実を確認していこう。県庁にはどのような状況で保管されていたのか。そもそも県庁にこのような文書が存在するということは、いつからわかっていたのか。確認できる事実を、見ていく。

県庁にこれらの文書が存在すると知られたのは、昭和三十六年（一九六一）である。いわば昭和三十六年に〝発見〟されたのである。千葉県庁には、発見時に記されたものではないものの、発見当事者によって後年、その経緯を記した文書が作成されていた。

それによると、発見したのは、当時『千葉県史料』を編さん・刊行していた外事広報課県史係等であった。発見された場所は、明治四十四年（一九一一）に落成した昭和三十六年当時の県庁舎（【資料1】）に設けられていた総務課文書庫で、その中央やや奥、総務課用木製書棚の最下段であったという。県史係は、保管のための仮目録を作成し、昭和三十七年三月発行の『千葉県史料　中世篇　諸家文書』に、県庁文書として、その一部を翻刻し、略目録を掲載した。その後、これらの文書は、昭和三十七年落成の庁舎に設けられた総務部文書課の書庫にて保管していた。そして、昭和六十二年に総務部文書課文書館建設準備室へ移管され、翌昭和六十三年、千葉県文《ぶん》書館《しょかん》の設立にともない、同館の収蔵となっている。

こうした事実をつなぎ合わせると、つぎのように理解できる。昭和三十七年新庁舎へ移転するために、書庫内を整理していて発見されたと推測される。庁舎移転がなければ、確認されなかったかもしれないことになる。もっとも、先の庁舎は、相当に老朽化が進んでいたようである。

明治四十四年落成した庁舎は、ルネッサンス式の煉瓦造りの建物で、地下室および地上二階建てであった。落成当時はモダンな建物で威容を誇ったであろうものの、五〇年を経ると、あるときは漆喰《しっくい》が課長の机にいきなり落ちてきて机のガラスを割り、あるときは階段の手すりの飾りが落ちたこともあったという。そして、雨漏りもしていたと、昭和三十年代後半の庁舎を知る人は

資料１　明治四十四年落成千葉県庁舎（『千葉県のあゆみ』千葉県、1983年より）

証言している（特集「旧県庁舎の想い出」、『千葉県職員月報』九月号、一九八五年、通巻三一六号）。それほどまでに、老朽化・損傷は進んでいたのであり、もはや危険という状態であった。建て替え、移転は必須だったのである。

なお、この庁舎を建設する際には、地鎮祭《ぢちんさい》・上棟式《じょうとうしき》を行なっている。地鎮祭は明治四十二年一月二十二日発行の「千葉県報」第二三五七号に掲載されており、上棟式については「上棟」と記された棟札《むなふだ》（【資料2】）が現存することによって知られる。棟札は、現在、千葉県文書館に収蔵されている。

これらによって、千葉県庁舎でみつかった六つの寺社へ宛てた徳川将軍家朱印状は、昭和三十六年以前から、千葉県庁舎へ納められていたことが明確である。県庁舎へ納められて以降の状況は、県庁に伝来したと捉えることができる。現在、千葉県文書館では、これらの朱印状を「千葉県庁伝来文書」と総称している。

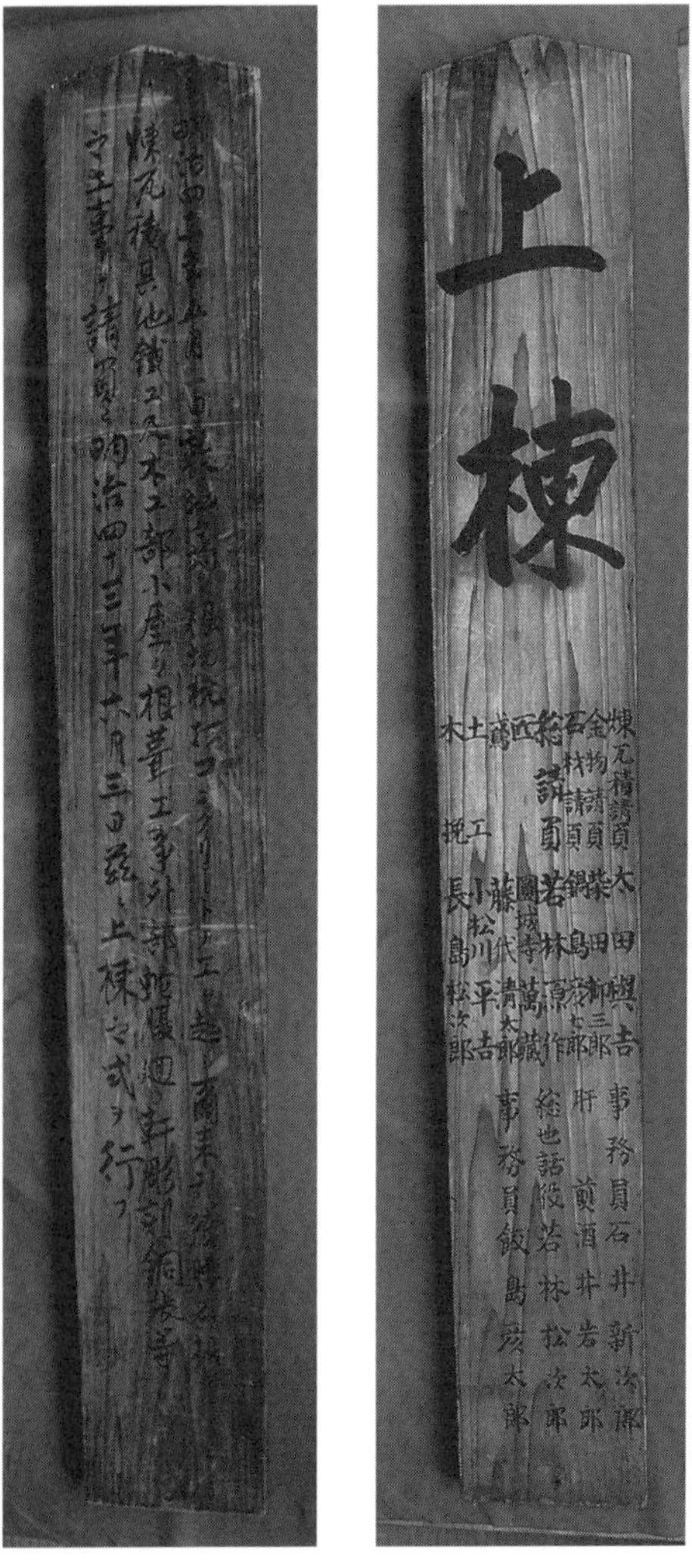

資料２　千葉県庁舎棟札　明治四十四年（千葉県文書館収蔵）

2、明治新政府による回収

江戸時代には、こうした朱印状は、将軍による保障を具現化した物である。朱印状を所持することが、所領を所持することであった。したがって、朱印状は、各寺社がそれぞれ所持していた。それが、各寺社の手許から離れるのは、明治新政府による政策が影響していると見られる。

慶応三年十月十四日（一八六七年十一月九日）徳川第十五代将軍慶喜《よしのぶ》が政権を朝廷に返上し、新政府が政権を担当することになった。しかし、当時の日本は、多くの所領を幕府・旗本および大名が領有していた。新政府の権力基盤となる所領はわずかでしかなかった。そこで、新政府は、自らの権力基盤・財政基盤を確立するために、幕府・旗本のみでなく、大名、宮家・公家、さらには寺社の所領もいったん収公することにした。そのための法令を発している。まず、明治元年（一八六八）閏《うるう》四月十九日に、第三一八号達《たっし》を太政官《だじょうかん》から発した。

〔史料1〕明治元年閏四月十九日第三一八号太政官達（『明治年間法令全書（第一巻）』一三三頁）

王政御一新ニ付テハ、宮・公卿・諸侯并神社・寺院等、領地高之儀御改正可被　仰付候間、是迄旧幕府ヨリ受封之判物、急々御用有之候間、内国事務局へ差出候様被　仰出候事、

〔書き下し文〕

王政御一新《おうせいごいっしん》に付《つ》きては、宮《みや》・公卿《くぎょう》・諸侯并《しょこうなら》びに神社・寺院等、領地高の儀御改正仰《ごかいせいおお》せ付《つ》けらるべく候間《そうろうあいだ》、これ迄《まで》旧幕府より受封《じゅふう》の判物《はんもつ》、急々《きゅうきゅう》御用これあり候間、内国《ないこく》事務局へ差し出し候様《よう》仰《い》せ出だされ候事《こと》。

〔大意〕

政権の一新に際して、宮家・公卿・諸大名や神社・寺院などの領地高（領地の分量）を改正するように天皇が命じられたので、これまで旧幕府から受け取っていた文書を、急の用があるので、内国事務局へ提出するようにと命じられた。

領地の分量を改正するために、幕府が出した領地に関する文書を提出せよというのである。ここでの対象は、宮家・公卿・諸大名・神社・寺院である。旧旗本らは対象となっていない。この時期は、戊辰《ぼしん》戦争の最中で、四月十一日に江戸城が無血開城となり、新政府軍が江戸へ進軍し、閏四月十一日には大多喜《おおたき》城（千葉県大多喜町）も無血開城して房総方面を制圧したころである。各地で旧幕府軍による抵抗が続いていた。そのため、旧旗本は対象とならなかったのであろう。

なお、この達を発布したのは、太政官ということになっているものの、明治新政府による太政官の発足は、二日後の閏四月二十一日、政体書の発布に基づいている。太政官代と称された時期である。

つづいて同年五月十七日に、第三九九号達が太政官から発せられている。こちらは、太政官組織後である。

〔史料2〕明治元年五月十七日第三九九号太政官達（『明治年間法令全書（第一巻）』一六四頁）

今般、本領安堵被　仰付候ニ付テハ、改テ御朱印被下置候間、従前徳川氏代々之朱印不残、来ル廿日迄ニ差出可申事、

元高家・元旗下在京一同

〔書き下し文〕

今般、本領《ほんりょう》安堵《あんど》仰《おお》せ付《つ》けられ候《そうろう》に付《つ》いては、改めて御朱印下《ごしゅいんくだ》し置《お》かれ候間、従前徳川氏代々の朱印残らず、来たる二十日迄に差し出し申しべき事。

元高家《こうけ》・元旗下《はたもと》在京一同

〔大意〕

今回、本領を安堵（保証）すると天皇が命じられたのに際して、改めて朱印状を下されるので、従来徳川氏代々が出した朱印状は残らず、五月二十日までに提出すること。

元高家・元旗下在京一同

ここでは、元高家・元旗本で、在京している者を対象としている。京都に滞在しているという
ことは、新政府に反抗していないということである。新政府は、政府に反抗しない旗本は、本領
を安堵するとしたのである。そして、改めて新政府から領地に関する文書を出すことにして、徳
川氏代々の朱印状を回収した。なお、江戸における新政府への対抗勢力であった彰義隊《しょうぎたい》が上野戦
争によって鎮圧されるのは、五月十五日であった。新政府は、江戸から反政府勢力を払拭《ふっしょく》したこ
とによって、旧旗本へも領地の改替が可能になったのであろう。

江戸城に入った新政府軍は、江戸に軍政機関をおき、江戸鎮台府《ちんだいふ》と称した。その機構は、江戸
幕府の機構を利用したもので、町奉行を市政裁判所、寺社奉行を社寺裁判所、勘定奉行を民政
裁判所と改称して統治した。そして、鎮台には東征大総督《とうせいだいそうとく》であった有栖川宮熾仁《ありすがわのみやたるひと》親王が就いた
(明治元年五月十九日第四〇二号布告)。熾仁親王は、太政官代の三職である総裁《そうさい》・議定《ぎじょう》・参与《さんよ》のうち、
最高職の総裁でもあった。ただし、政体書の発布に基づく太政官制では議定から外されている。

六月二十八日、第五一五号達が鎮台府から発せられた。

〔史料3〕明治元年六月二十八日第五一五号鎮台府達《ちんだいふたっし》(『明治年間法令全書(第一巻)』二〇五頁)

社寺民政市政三局并各藩へ

今般、各府・各藩・各県所部ニ属スル社家・寺院、已来其向之可為支配旨、於太政官被　仰

出候ニ付而者、急幕府ヨリ受封之判物差出方之儀者、各其領主・地頭へ差出可申候、尤是マテ元寺社奉行所直支配受来候向ハ、社寺裁判所へ可差出候事、

別紙之通被　仰出候ニ付而者、各其所部ニ属スル社家・寺院、旧幕府ヨリ受封之判物早々取集、社寺裁判所へ可差出候事、

〔書き下し文〕

社寺・民政・市政三局並びに各藩へ

今般、各府・各藩・各県所部に属する社家・寺院、已来《いらい》その向《むき》の支配たるべき旨《むね》、太政官において仰せ出だされ候に付きては、急ぎ幕府より受封の判物《はんもつ》差し出し方の儀は、各々その領主・地頭へ差し出し申すべく候。尤《もっと》もこれまで元寺社奉行所直支配《じきしはい》受け来たり候向《む》きは、社寺裁判所へ差し出すべく候事。

別紙の通り仰せ出だされ候に付きては、各々その所部に属する社家・寺院、旧幕府より受封の判物早々取り集め、社寺裁判所へ差し出すべく候事。

〔大意〕

社寺・民政・市政三局並びに各藩へ

今回、各府・各藩・各県の管轄範囲に属する社家・寺院は、以前からその方面（各府・藩・県）が支配していることは、太政官が命じられているので、急いで幕府から受け取っている文書

を提出することは、それぞれのその地の領主・地頭へ提出すること。ただし、これまで元寺社奉行所の直接支配を受けてきた社家・寺院は、社寺裁判所へ提出すること。別紙の通りに命じられたので、それぞれ管轄範囲に属する社家・寺院の旧幕府から受け取っている文書を早々に取り集めて、社寺裁判所へ提出すること。

鎮台府から管轄下にある社寺裁判所・市政裁判所・民政裁判所三局および各藩に対して、神社・寺院が旧幕府から与えられた領知に関する文書は各領主・地頭へ提出させ、もと寺社奉行所の直接支配であった社家・寺院、すなわち幕府領の寺社は社寺裁判所へ提出することとしている。そして、領主・地頭へは、それらを取りまとめて、社寺裁判所へ提出することを命じている。

3、地方寺社の対応

こうした命令が出されたのに対して、地方の寺社はどのように対応したのであろうか。

たとえば、茨城県稲敷《いなしき》市江戸崎に所在する大念寺《だいねんじ》の場合は、明治元年八月十三日に、関宿《せきやど》藩へ提出している（「大念寺日鑑《にっかん》」）。江戸崎は関宿藩領であったので、大念寺は第五一五号鎮台府達に基づいて、領主へ提出したのであろう。

このように、政府の命令に応じて朱印状を提出したものの、達発布直後ではなく、やや遅れて提出した寺社もあった。たとえば、川越藩における提出は、十二月であった（埼玉県立浦和図書館『諸国寺社朱印状集成』）。

そのいっぽうで、これらの命令に従わない家・寺社も多くあった。

集められた文書は、すべて政府の最高官庁である太政官に収蔵されていたと「復古記《ふっこき》」は記している。「復古記」は、明治二十二年に完成した慶応三年（一八六七）十月から明治元年十月までの王政復古に関する官撰の史書である。そこには、領地に関する文書を提出した家・寺社が提示されている。それによると、提出したのは皇族一一家・堂上一三九家、大名一六六藩、門跡二〇・尼御所一五、神社二四〇・寺院五八四である。そして、皇族四家・堂上五八家、門跡七・尼御所一の文書が所在不明とする。また、寺社に関しては、参考として、「旧幕府寺社領《きゅうばくふじしゃりょう》高付目録帳《たかつけもくろくちょう》」の神社数九八五、その社領総計一五万一九二〇石余、寺院数三六七八、寺領総計一八万一七三〇石余という数字を掲げている。

神社は二四％、寺院は一六％しか把握していないことになる。現に、現在でも所領関係の文書を所持している寺院は、多数見られる。「提出する」「提出しない」の判断はどのように行なわれたのか。今のところ、それを検討する史料がみつかっていない。今後の史料の発掘に期待したい。

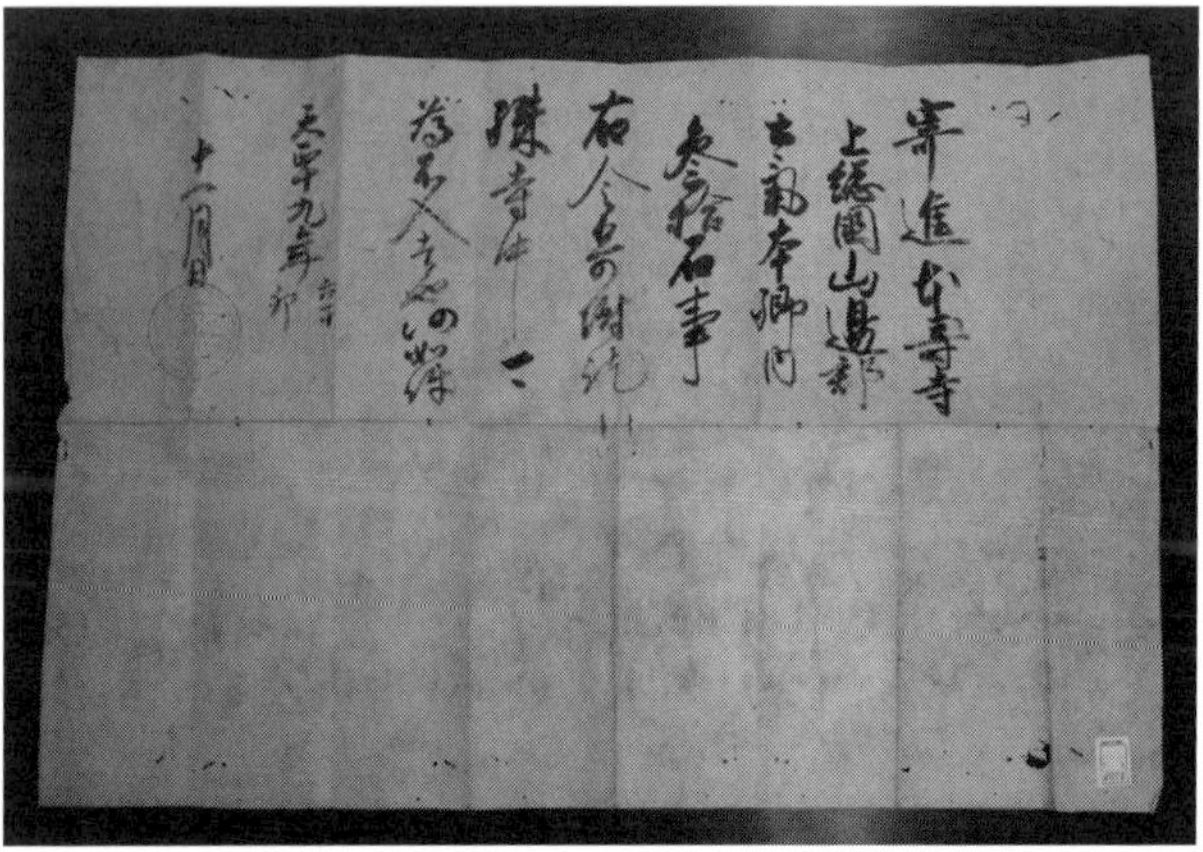

資料3　徳川家康朱印状（千葉県文書館収蔵千葉県庁伝来文書）

4、千葉県庁伝来文書の寺社

千葉県庁伝来文書は、六つの寺社に宛てられた文書である。その六つの寺社とは、本寿寺・善勝《ぜんしょう》寺《じ》・県明神《あがたみょうじん》・八幡宮領報恩寺《はちまんぐうりょうほうおんじ》・三輪山村明神社《みわのやまむらみょうじんじゃ》・金剛宝寺《こんごうほうじ》である（寺社名は朱印状【資料3】の表記による）。これら寺社の朱印状が一括されたのは、これらの寺社に共通点があり、何かまとまりが見られるからであろうか。各寺社の概要を見よう。

本寿寺・善勝寺は、ともに千葉市緑区土気《とけ》町に所在する日蓮宗寺院である。本寿寺は、寛正五年（一四六四）二月創立で、開山は日泰《にったい》という。善勝寺は、寛正三年（一四六二）三月創立で、開山は日道《にちどう》とされる。県明神は、大網白里《おおあみしらさと》市土気町飛地に所在する。同地は、大網白里市金谷《かなや》郷の中に位置するものの、江戸時代以来土気町の一部とされていた。旧号は県大明神といい、明治元年十二月十九日に県神社と改号したという（千葉県文書館収蔵「神社明細帳」）。神仏分離以前の別当寺は本寿寺であった。

八幡宮領報恩寺は、現在、野田市中野台《なかのだい》に所在する報恩寺という真言宗寺院と、野田市堤台《つつみだい》に所在する八幡神社とに分離している。かつては、八幡神社の別当寺が報恩寺で、ともに堤台にあった。天正十八年（一五九〇）に家康《いえやす》の関東入国にともなって野田へ入部した岡部氏が、堤台城築城に際して、城の鎮守として八幡宮を勧請し、岡部氏の移封後に、その別当寺として報恩寺を建立したとされる。

三輪山村明神社は、現在は茂侶《もろ》神社といい、流山市三輪野山《みわのやま》に所在する。いわゆる式内社《しきないしゃ》（延《えん》喜《ぎ》式《しき》に記載された神社）である可能性が指摘されている。

金剛宝寺は、香取《かとり》市香取に所在する香取神宮内に所在した香取神宮の神宮寺別当である。現在は廃寺となっているものの、かつては真言宗寺院であった。

このように、千葉県庁伝来文書に含まれる寺社は、地域的にも、宗派的にも、共通点はなく、まとまりに欠けている。共通性によって一括されたものではないと理解できる。

5、朱印状伝来の経路

こうした事実に基づいて、朱印状伝来の経路を考えてみよう。

千葉県庁伝来文書に含まれる寺社は、「復古記」には見えない。ただし、各寺社に現存しないことによって、明治新政府の命令に基づいて、提出したことは推定できる。

　第五一五号鎮台府達によれば、提出先は各領主・地頭《じとう》である。大念寺のように、この命令に基づいて、領主（大名・旗本）へ提出したケースがあったとみられる。もっとも、大念寺の場合、八月に提出しているので、領主が取りまとめて提出する先の社寺裁判所は、すでになくなっていた。七月十七日に、江戸が東京となり、鎮台府が廃され鎮将府《ちんしょうふ》となった時、社寺裁判所は廃止された。領主は提出先を失ったため、それらの文書を保管したまま、版籍奉還・廃藩置県を迎えることになり、それが県庁へ受け継がれた物もあったであろう。千葉県庁に伝来した状況として、こうしたケースが想像される。

　もしこのような状況であるならば、本寿寺・善勝寺・県明神は、上総国山辺《かずさのくにやまべ》郡土気町に所在するので、領主である旗本松下加兵衛《まつしたかへえ》へ提出したと考えられ、八幡宮領報恩寺は、下総国葛飾《しもうさのくにかつしか》郡堤台村に所在していたので、その領主である旗本松平甚兵衛《まつだいらじんべえ》へ提出したことになろう。三輪山村明神社が所在する下総国葛飾郡三輪野山村は、幕府・旗本吉田吉左衛門《よしだきちざえもん》の相給《あいきゅう》（一つの村に複数の領主）である。いずれか明確ではないものの、後の状況からすると、旗本吉田吉左衛門へ提出したと考えられる。

　上総国内の幕府領・旗本領は、明治二年から宮谷県《みやざく》（当初は上総安房知県事《かずさあわちけんじ》）に属し、明治四年から木更津県《きさらづ》となった。したがって、本寿寺・善勝寺・県神社の朱印状は、領主から宮谷県を経て、木更津県に保管されたと考えることができる。

下総国内の幕府領・旗本領は、明治二年から葛飾県（当初は下総《しもうさ》知県事）、明治四年からは印旛《いんば》県になっている。八幡宮領報恩寺・三輪山村明神社の朱印状は、領主から葛飾県を経て、印旛県に保管されるようになったと考えられる。

そして、明治六年、印旛県と木更津県が合併して千葉県となった。これによって、本寿寺・善勝寺・県明神・八幡宮領報恩寺・三輪山村明神社の朱印状は、千葉県庁舎に納められたのであろう。それぞれの領主へ提出された後、社寺裁判所という提出先を失った朱印状は、県の成立・合併に伴って、各県庁に保管されるようになり、千葉県の成立によって千葉県庁へ移管されたと見ることができよう。

なお、金剛宝寺が、提出した先は明瞭でない。あるいは領主へ提出したのであろうか。下総国香取郡香取村の領主は、幕府と旗本三名などである。また、千葉県が成立した明治六年の下総国香取郡は新治《にいはり》県に属していた。香取郡が千葉県域に属するのは明治八年である。他の五つの寺社とは異なるルートで千葉県庁に保管されるようになったのではなかろうか。

このように、朱印状が千葉県庁に伝来した謎を解いていくと、政府から「急いで」提出するようにと命じられたものの、提出が遅れたために、提出先が制度の改編によって存在しなくなっているという状況を窺える。政府の命令に従いながら、政府による法令・制度の改変の早さについていけなかった地方の状況を示している。政府に振り回される地方という印象を受ける。これは、明治初頭における政府と地方の関係の一端を物語っているように思える。

参考文献

・太政官編『復古記　第四冊』（内外書籍、一九二九年、国立国会図書館デジタルコレクション）
・木村礎校訂『旧領取調帳　関東編』（近藤出版社、一九六九年）
・埼玉県立浦和図書館編・刊『埼玉県史料集 第六集　諸国寺社朱印状集成』（一九七三年）
・千葉県文書館編・刊『収蔵文書目録第4集　諸家文書目録1』（一九九一年）
・淑徳大学アーカイブズ編・刊『〈淑徳大学アーカイブズ叢書9〉浄土宗関東十八檀林大念寺日鑑　三』（二〇二〇年）

第3部　歴史を再発見するのはおもしろい

11

経典受容のあり方

能登の仏事の一齣《ひとこま》

――加賀藩主前田家の権威――

生駒哲郎

対象地域

石川

1、協力しあう寺院

北陸の能登地方（現輪島市町野《まちの》周辺）に高野山真言宗《こうやさんしんごんしゅう》の寺院が集まって仏事を営む「町野結衆《まちのけっしゅう》」と呼ばれる寺院のネットワークがある。能登地方は、加賀地方と同様に浄土真宗の影響力が非常に強固な土地柄である。したがって、必ずしも檀家の数などが多くはない高野山真言宗の各寺院は、一寺、一寺ではなく、周辺の寺院が結束して共同で仏事を行ない、互いに協力しあってそれぞれの寺院を維持存続させてきた歴史を持ち、現在もその関係が続いている。ある意味で、加賀と同様に真宗王国とかつて呼ばれていた能登地方独特な、浄土真宗ではない寺院の経営の在り方といえるであろう。

こうした「町野結衆寺院」に所属する白雉山金蔵寺《はくちさんこんぞうじ》（石川県輪島市町野所在）という寺院ではつい最近まで、「町野結衆寺院」によって「大般若経会《だいはんにゃきょうえ》」という仏事が営まれていた。

写真１　金蔵寺大般若会　　（撮影：筆者、以下同）

「大般若経会」とは、折本《おりほん》と呼ばれる装丁《そうてい》の『大般《だいはん》若波羅蜜多経《にゃはらみったきょう》』（以下「大般若経」と略す）という経典を、パラパラとアコーディオンのように最初から最後までひろげて（【写真１】参照）、その時、経典名とこの経典の訳者（玄奘三蔵《げんじょうさんぞう》、いわゆる三蔵法師《さんぞうほうし》）の名を大声で言うことで、この経典（この巻）を最初から最後まで読んだ功徳があるとする仏事である。いわゆる転読《てんどく》と呼ばれている（実際に最初から最後まで経典を読み上げることを真読《しんどく》という）。

この仏事は、毎年夏に行われ、五穀豊穣などが祈願される。実際には、【写真２】のように「大般若経」は全部で六〇〇巻からなり、一箱につき五〇巻が納められて、合計一二箱の経箱に収納されている。金蔵寺の「大般若経会」では、一箱につき一人の僧侶が転読を担当するので、「町野結衆寺院」に所属する一二人の僧侶によって、転読が行われることになるのである。

写真２　金蔵寺所蔵の「大般若経」の保管状態

今回、特に取り上げて考えたいのは、この「大般若経」に記された願文と、「大般若経」六〇〇巻が金蔵寺に入ってきた経緯である。つまりは、史料が記されてから（完成してから）、その後、その史料がどのように受容されてきたかを、金蔵寺の「大般若経」をとおして考えてみたい。

2、「大般若経」の願文
——加賀藩主前田宗辰の武運長久を祈願する

金蔵寺所蔵「大般若経」は、巻第一から巻第十までの合計一〇巻の第一紙の裏に願文《がんもん》が記載されている（【写真3】参照）。翻刻すると次のとおりである。

大般若経《だいはんにゃきょう》全部《ぜんぶ》六百巻《ろっぴゃくかん》
御寄附御方《ごきふのおかた》
御意趣者為《ごいしゅはため》

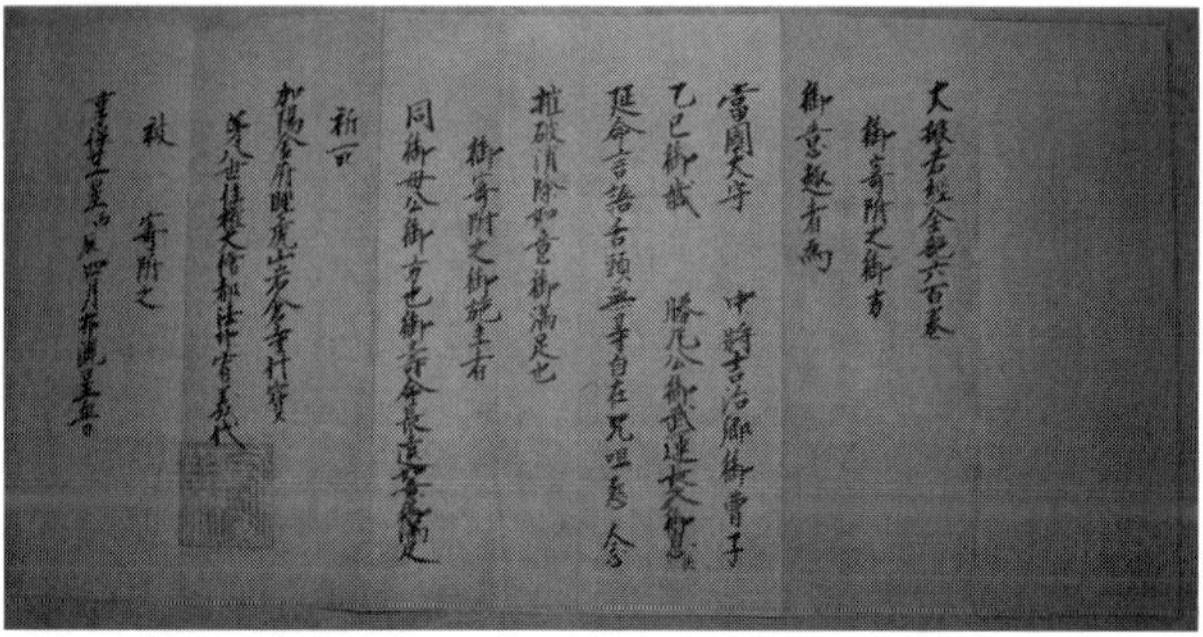

写真3　「大般若経」巻第二　第一紙裏　浄珠院願文（金蔵寺蔵）

当国大守《とうごくたいしゅ》　中将吉治卿御曹子《ちゅうじょうよしはるきょうおんぞうし》

（御意趣は、当国大守　中将吉治〈前田吉治〉卿の御曹子のため）

乙巳御歳《きのとのみおんとし》　勝丸公《かつまるこう》、御武運長久《ぶうんちょうきゅう》、御息災《ごそくさい》

延命《えんめい》、言語《げんご》舌頭《ぜっとう》、無得自在《むとくじざい》、呪詛怨念《じゅそおんねん》

摧破消除《さいはしょうじょ》、如意御満足也《にょいごまんぞくなり》

　御寄附之御施主者《ごきふのせしゅは》

同御母公御方也《どうごぼこうのおかたなり》、御寿命長遠《ごじゅみょうちょうおん》、如意御満足也《にょいごまんぞくなり》

祈所《いのるところ》

賀陽金府睡虎山岩倉寺什宝《かようきんぷすいこざんいわくらじじゅうほう》

第八世住権大僧都法印宥義代《だいはっせいじゅうごんのだいそうずほういんゆうぎだい》（朱印）＊四周双辺「宥義」

被《こうむる》　御寄附之《ごきふこれを》

（御寄附これをこうむる）

享保廿一星丙辰四月布灑星直日《ふさいせいちにち》

この願文は、巻第二を翻刻したものである。他巻とは、改行が異なるものもあるが、文面は同じである。まずは、願文から

「大般若経」六〇〇巻が享保二十一年（一七三六）に寄付されたことがわかる。

願文に記載された「当国大守　中将吉治卿」とは、加賀藩第五代藩主の前田吉治（吉徳）のことで、吉治は、享保八年（一七二三）に左近衛権中将に任じられている。

また、前田家の藩主は代々「勝丸」が幼名であった。吉治の息子で幼名が「勝丸」なのは、長男で第六代藩主となる前田宗辰《むねとき》である。願文に「乙巳御歳」とあるが、宗辰は享保十年（一七二五）の誕生で、享保十年の十干十二支は、「乙巳」である。

さらに、「御母公御方」とは、宗辰の母で、吉治の側室浄珠院《じょうじゅいん》で、これら経典の願主《がんしゅ》である。浄珠院は、息子宗辰の武運長久等の祈禱のため、「大般若経」六〇〇巻を寄付した。ただし、浄珠院が寄進した寺院は、「賀陽金府睡虎山岩倉寺《すいこざんいわくらじ》」とあり、現在の石川県金沢市に所在していた高野山真言宗の睡虎山岩倉寺（現在は富山県南砺《なんと》市に移転）であった（その時の睡虎山岩倉寺住職は第八世権大僧都法印宥義）。

3、京都の本屋、「大般若経」を出版する

金蔵寺は、加賀藩第六代藩主前田宗辰の武運長久を母浄珠院が祈願した「大般若経」六百巻で「大般若経会」を行っていたのであるが、同経は、版本であり、巻第六百の奥には、刊記がみられる（【写真4】参照）。

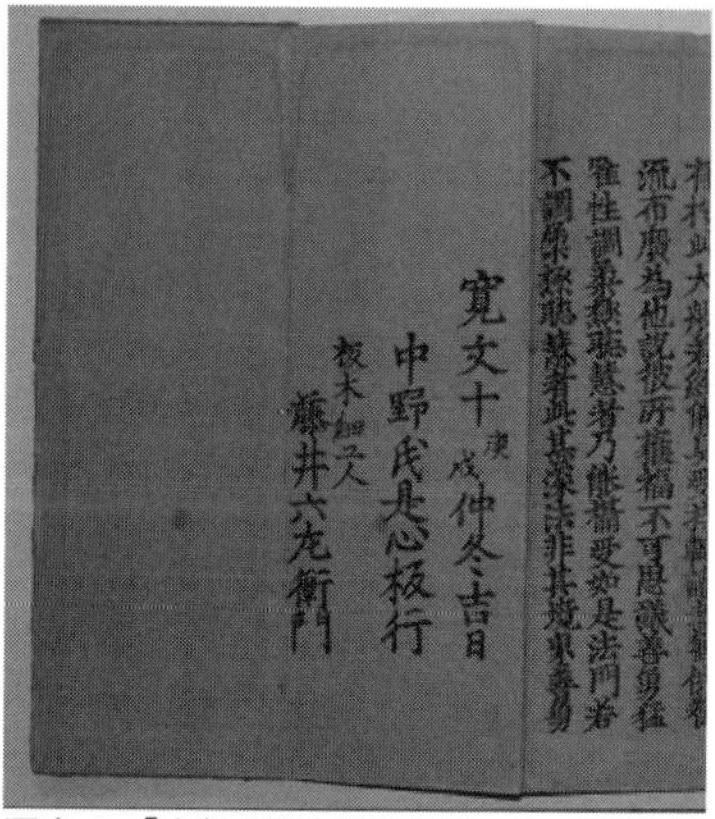

写真4　「大般若経」巻第六百　奥　刊記（金蔵寺蔵）

そこには「寛文十庚戌仲冬吉日／中野《なかの》氏是《ぜ》心《しん》板行／板木細工人／藤井六左衛門」とある。この刊記によって、本経は、寛文十年（一六七〇）に中野是心によって開版（開板）されたことがわかる。いわゆる中野版は、京都四条寺町大文字町の書肆《しょし》で、真言宗を中心にした書籍を出版している。中野是心は、この書肆を営む中野一族と考えられ、元和元年（一六一五）から寛文年間（一六六一〜七三）までの出版活動が知られている。金蔵寺所蔵の「大般若経」はこうした中野是心の一連の活動のなかで開版されたいわゆる寺院ではない町版で、とくに中野是心版といわれる版本である。

寛文十年（一六七〇）の中野是心による「大般若経」六〇〇巻の開版については、寛政四年（一七九二）刊行の祖芳《そほう》著『大般若経校異《だいはんにゃきょうこうい》』序に記載がある。

この序によれば、平安京京極街の書肆、中野是心は、いまだに京都に版本「大般若経」の開版がないことを残念に思っていた。たまたま、六〇〇巻すべての古い版本を得たので寛文十年（一六七〇）、これら古版本を「翻刻一新」したということである。

『大般若経校異』には、「古印刻《こいんこく》ノ全本」と記されており、中野是心版は、春日《かすが》版（奈良の興福寺で開板された経典のこと）の補刻本であったと思われる。

中野是心版「大般若経」の底本については、稲城信子氏の解説（『奈良県所在近世の版本大般若経調査報告書　本文篇』奈良県教育委員会　二〇〇五年三月刊）によると「天地の界《かい》はなく、柱刻《ちゅうこく》は「二百一　一　二」と刻され、千字文《せんじもん》函号が首尾の経題下に刻されている。一版の大きさは約六六・五cmであり、春日版補刻本とその法量は近似し、春日版の覆刻本と思われる。春日版補刻本の場合、その摺写は良好でない例が多いが、中野版の場合、その摺写は実に良好である」と述べられている。つまり、寛文十年開版の中野是心版「大般若経」は、春日版補刻本という中世の版本を底本にしているのである。

この中野是心版「大般若経」は、寛文十年の開版の他に安永五年（一七七六）若山屋喜右衛門による再版、寛政十年（一七九八）平安御経所般若堂による再々版という出版の流れが知られている。こうした出版のなかで、金蔵寺所蔵の「大般若経」は、寛文十年開版の中野是心版の初版ということになる。

4、金蔵寺にはいつ入ったか

金蔵寺の「大般若経」は、第六代藩主前田宗辰の母浄珠院による寄進で、中世の春日版の系譜を引く中野是心版の初版本であるという由緒を持つものであることが分かったが、これらの経典は、そもそも睡虎山岩倉寺に寄進されたもので、金蔵寺に寄進されたものではない。

こうした「大般若経」が、金蔵寺に入った経緯は、二〇一四年の同寺における史料調査まで不明となっていた。「大般若経」は、漆塗りで五段の抽斗《ひきだし》式経箱に収納されているが、合計一二箱の経箱の内、第六箱目の底裏に墨書があることが判明したのである。

それには次のようにある（【写真5】参照）。

「享和三い年八月日
此ヲ出来《しゅったい》　仕《つかまつり》　候《そうろう》、大工当所間（弼カ）蔵」

『享和第三年歳次癸亥八月吉日
「へ」
白雉山金蔵閣住栄仙《えいせん》以《もって》　求焉畢』

「白雉山金蔵閣住栄仙を以《もっ》て求畢《もとめおわりぬ》（「焉」は読まない）」とあり、この墨書によれば、享和三年（一八〇三）八月に金蔵寺第十一世の栄仙の求めによって、同寺の什宝《じゅうほう》となったことがわかる。また、同じく墨書によれば、同時期に現在の経箱も「間（弼カ）蔵」なる大工によって新調されている。

写真5　第6箱底裏墨書（金蔵寺蔵）

さらに、墨書には、一見意味不明な「へ」とあるが、これは経箱の分類番号である。合計一二箱の経箱には分類番号が付されていて、しかも、何故か二種類の分類番号が付されている。まずは、「い・ろ・は・に・ほ・へ・と・ち・り・ぬ・る・を」までの「いろは……」による分類である。さらに「いろは」とは別に、「子・丑・寅・卯・辰・巳・午・未・申・酉・戌・亥」の十二支による分類番号も付されている。

何故に、二種類の分類番号が付されているかは不明であるが、「いろは」が外見上、見えないところに記されていて、逆に十二支による分類番号は見えるところに付されているのが特徴である。

つまり、経箱底裏の墨書「へ」は、「いろは」による分類で、第六番目の箱であることをあらわしている。同様に、その他の経箱にも、底裏には「いろは」の分類番号が付されているのである。

金蔵寺の栄仙による墨書のような奉納の経緯は、最初の第一箱目か、もしくは最後の第十二箱目に記されている場合が多い。第六箱目というある意味中途半端な番号の箱の底裏に墨書が記されたため、今まで見過ごされていたようである。

それでは、何故に第六番目の箱に栄仙は墨書を記したのか。それは、「いろは」による分類番号ではなく、十二支による分類番号が関係するようである。十二支による分類では、第六番目の箱は「巳」ということになる。先ほどみた願文には、前田宗辰（勝丸公）について「乙巳御歳」の誕生と記載されていた。金蔵寺に「大般若経」六〇〇巻が入った経緯を記した墨書が、第一箱ではなく、第六箱というある意味不自然な箱にある理由は、前田宗辰が誕生した時の干支「巳」に因んだためではないだろうか。

以上のように、金蔵寺所蔵の「大般若経」六〇〇巻は、享保二十一年（一七三六）に加賀藩第五代藩主の前田吉治の側室浄珠院が息子宗辰の祈禱のため睡虎山岩倉寺に奉納し、それを享和三年（一八〇三）、金蔵寺第十一世栄仙が同寺に入れ、その時経箱も新調されて現在に至っているということになる。

５、神仏習合と「大般若経」

金蔵寺の「大般若経」は、享和三年に同寺に奉納されたことが分かったが、それ以前にも、同寺の記録を見ると、「大般若経」があったことが判明する。ただし、享和三年以前の「大般若経」

は金蔵寺に現存していない。

金蔵寺の歴史を振り返ると、江戸時代、金蔵寺は、隣接する日枝《ひえ》神社の別当寺《べっとうじ》を務めていた。いわゆる神仏習合《しんぶつしゅうごう》である。ところで、「町野結衆寺院」のなかでも、金蔵寺の他に年中行事として「大般若経会」を行なっている寺院と、行っていない寺院がある。そうした差違は、神仏習合が関係していると思われる。神社の別当寺を務める寺院にとっては、「大般若経会」は重要である。何故なら、「大般若経」は、十六善神《じゅうろくぜんじん》が釈迦を賛嘆する内容となっているからである。「大般若経」は神仏習合の根拠となる経典の一つなのである。

そうすると金蔵寺の「大般若経会」は結構古い歴史を持つ行事であることがわかるが、享和三年に金蔵寺の栄仙が、改めて「大般若経」六〇〇巻を同寺に奉納した直接の動機は判明しない。しかし、栄仙の墨書の記し方からして、願文の記事を読んでいたことはわかる。つまり、前田宗辰に関する記事を意識していたのである。このことは、「大般若経」そのものの功徳だけではなく、前田家の権威が加わったという見方も可能であろう。こうした経典受容のあり方は、能登地方という一つの地域の特徴として理解できるのではないだろうか。

参考文献

・『奈良県所在近世の版本大般若経調査報告書　本文篇』（奈良県教育委員会　二〇〇五年）
・畠山聡編『神奈川大学日本常民文化研究所調査報告』第二三集『奥能登における真言宗寺院の年中行事を中心とした民俗調査　町野結衆寺院を事例として』（二〇一五年）
・研究代表者宮野純光『奥能登における真言宗寺院の総合調査―町野結衆寺院を対象として―』（平成二十六年度から二十八年度科学研究費助成金研究成果報告書、二〇一七年）

12

史料探しは「宝探し」

長崎阿蘭陀通詞本木家のアイデンティティ

――史料を探す楽しみ――

鍋本由徳

対象地域

長崎

1、長崎という地域

江戸時代における長崎は、外国（オランダ・中国）と日本との接点のひとつとして知られる。オランダ商館が平戸《ひらど》（現長崎県平戸市）から出島へ移転したのは徳川家光《とくがわいえみつ》の時、唐人屋敷が作られて唐人の集住が始まったのは徳川綱吉《つなよし》の時である。商館が長崎ではなく平戸にあった時期でも長崎は交易港として栄えていた。平戸や長崎にはイギリス商館員・オランダ商館員の他、ポルトガル人やスペイン人の商人、さまざまな国籍の船員が往来したのである。東アジアでは、唐船が往来し、西洋との取引を仲介する李旦《りたん》のような者もいた。

しかし、オランダ商館が出島へ移転するころ、キリシタンが関わっていたとされる島原・天草一揆《いっき》をはじめ、キリスト教徒に対する迫害が一層激しくなり、また交易に対する制限もきびしくなっていく。

写真１　長崎出島復原（出島内）　（撮影：筆者）

イギリス商館とオランダ商館の行動が大きく制限されたのは、徳川家康《いえやす》が死去した年で、将軍秀忠《ひでただ》によって交易制限令が出されたことが知られる。唐船を除く外国との交易は長崎と平戸だけに限定されたのである。つまり、イギリス・オランダ両商館は早期に行動を制限され、さらにオランダ商館が出島（【写真１】）へ移転してからは自由な行動ができなくなっていた。他方、唐人は滞在こそ制限されていたが、比較的自由な移動ができた。

唐人の行動が制限されるのは元禄時代である。十七世紀半ば、台湾に拠点を置く鄭《てい》氏《し》政権が崩壊し、清は商人の海外渡航を許し、その結果、唐船の日本来航数が激増した。長崎町内の治安に不安を覚えた幕府は唐人屋敷（【写真２】）を建設し、唐人の集住が命ぜられたのである。

出島や唐人屋敷に外国人が集住し、長崎の町内には

写真2　長崎唐人屋敷跡　（撮影：筆者）

西洋文化や唐人文化の影響を受けたものがあった。鎮《ちん》西《ぜい》大社（諏訪神社）の例大祭（現在の「長崎くんち」）は、オランダ商館員と唐人が外へ出る数少ない機会で、長崎町人が演ずる中国風の歌や演奏を見聞きして、唐人たちは郷愁の念にかられ涙を流したとの記事が地誌類の随所にみられる（『長崎歳時記』寛政九年〈一七九七〉など）。哨吶《ちゃるめら》・銅鑼《どら》などを使った演奏、唐船の長崎入津に際しておこなわれる菩薩《ぼさ》揚《あげ》や菩薩《ぼさ》祭《まつり》との関わり、興福《こうふく》寺《じ》・崇福寺《そうふくじ》・福済寺《ふくさいじ》の「唐三箇寺」、江戸時代後期に流行する唐人踊《とうじんおどり》（唐人屋敷内でのものではなく、酒興の騒ぎ歌）などからわかるように、長崎町人の生活に密着しているのはどちらかといえば、唐人文化のようである。

一方、ヨーロッパ文化では自然科学分野などへの影響が大きい。オランダ風の歌がやはり鎮西大社の例大祭で催されていたとはいえ、文化的な行事では「おらんだ正月」が知られる程度であり、商館員と出島乙名ら役人たちの交流が長崎の町人文化へ影響を与えているかといえば、唐人ほどの影響はなかったと考えられる。

２、江戸城での将軍とオランダ商館長・オランダ通詞

天和二年（一六八二）に庄太夫《しょうだゆう》が江戸へ向かった時の商館長はヘンドリック＝カンジウスである。オランダ商館長は、原則として一年交替である。そして年に一度、江戸城へ行き、将軍家へ挨拶する習わしがある（江戸参府、【写真３】）。オランダ通詞《つうじ》も数名随行した。江戸へ赴いたオランダ商館長一行は多くの人と面会する。江戸時代初期の場合であれば、年寄（のちの老中）や、井上《いのうえ》政重《まさしげ》のような大目付、在府する大名たちが商館長と面会した。

長崎出島へ移った頃の江戸参府では、正保四年（一六四七）の記事が比較的詳細に書かれている。この年はラクダが江戸城に来て将軍家光がそれを見た年でもある。江戸城でのオランダ商館への尋問では、ポルトガルやスペインとの関係、オランダの統治、食生活、病気や薬などが話題となっていた。

この頃の将軍との謁見は、江戸城でさまざまな尋問があった後に短時間でおこなわれていた。基本的に将軍のいる部屋に入ったら何もせず、将軍からも特に声をかけてはいない。指示されてはじめて拝礼し、献上品が披露されて戻るだけである。将軍や将軍世子への拝謁を済ませた後、

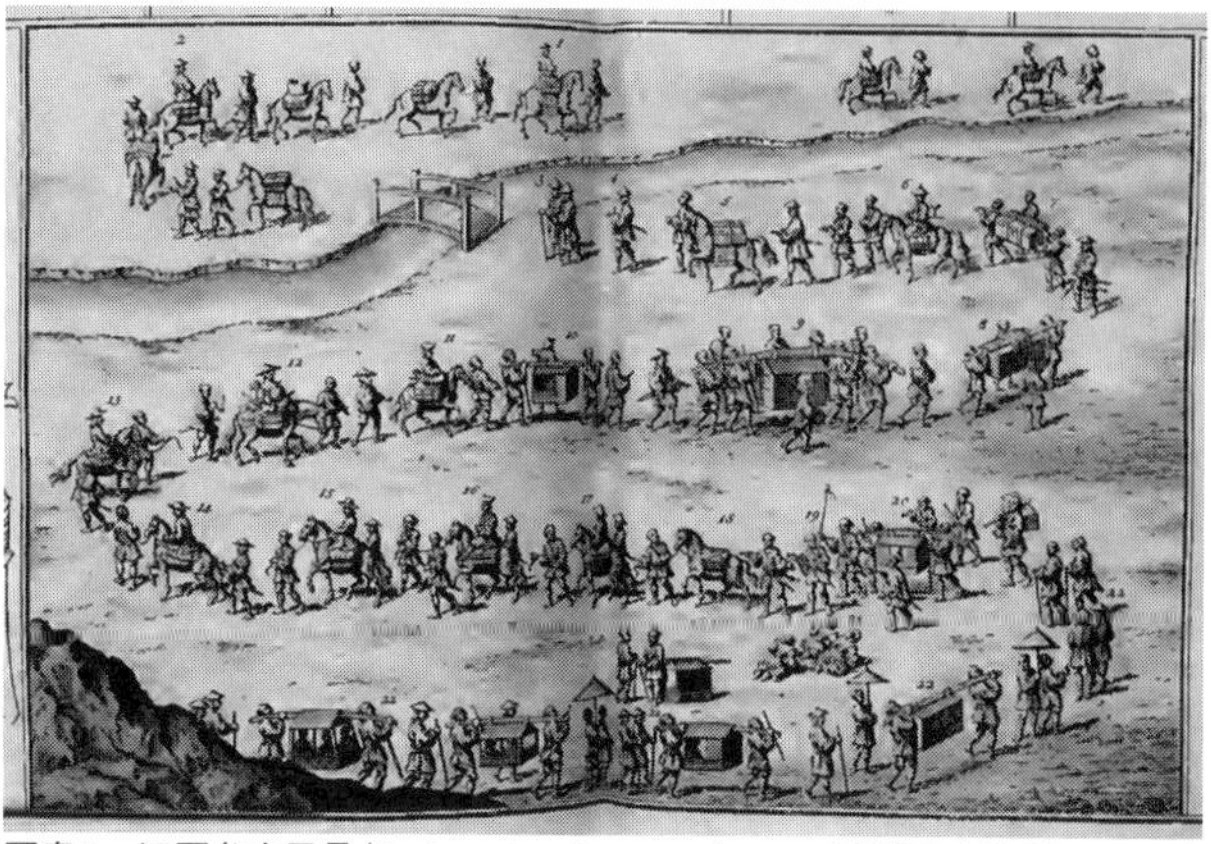

写真3　江戸参府風景（De beschryving van Japan・邦題『日本誌』ケンペル）（ETH-Library https://doi.org/10.3931/e-rara-55536）

商館長たちは老中をはじめとした大身の幕閣屋敷などを訪問し、そこでまたさまざまな指示が出たり、尋問を受けたりしていたのである。

ところが、天和二年（一六八二）、徳川綱吉の時、江戸城でオランダ商館長が将軍綱吉とその子徳松に謁見した。後でも触れるように、この時にオランダ人が将軍家の前で舞を踊り、歌を歌った。それからおよそ一〇年後の元禄四年（一六九一）、『日本誌』で知られるエンゲルベルト＝ケンペルが商館長ヘンドリック＝ファン＝ブイテンヘムに随行して江戸参府した。この時の様子は『江戸参府旅行日記』『廻《かい》国《こく》奇《き》観《かん》』などに詳しく、江戸城での綱吉との謁見では、拝謁の儀式である第一幕が終わると、そこからは「茶番狂言」「噴飯的な質問」が続いたという。年齢や氏名から始まり、質問が終わると、歩かされ、踊らされ、酔っぱらいの真似、歌などをやらされたという。もっとも、商館長は芸をすることはなく、随行した商館員が担っていたのである。

ところで、天和二年は徳松が満三歳になる年にあたる。三歳といえば、その子どもの気質が定まりつつある年齢とも言われる。徳松がオランダ人の踊りが見たいと言ったのは、父綱吉の言動をまねしたものか、それとも徳松自身の好奇心から出たものかはわからない。いずれにせよ、徳松の所望によって、オランダ人が踊ることになったことは確かなようである。十七世紀半ばまでの謁見とは、雰囲気が大きく違っていたといえよう。

3、オランダ通詞本木庄左衛門由緒書

さて、長崎歴史文化博物館には、長崎町年寄の由緒書の他、志筑《しづき》家、本木《もとぎ》家などオランダ通詞の由緒書が多く残されている。特に明和八年（一七七一）と享和二年（一八〇二）にはオランダ通詞の由緒書が一斉に作成されている。志筑家は、ケンペルの『廻国奇観』の一部を訳述した「鎖国論」で知られる志筑忠雄《ただお》を輩出した家であり、本木家は幕末の活版印刷で知られる本木昌造《しょうぞう》を輩出した家である（昌造は養子として本木家に入る）。

今回採り上げる事例は、本木家に伝わる由緒に関わるものである。本木家の由緒書は享和二年（一八〇二）に本木庄左衛門《しょうざえもん》によって作成された。由緒書によれば、庄左衛門は三人扶持を与えられていた。安永七年（一七七八）に稽古《けいこ》通詞、寛政元年（一七八九）に小通詞末席見習、寛政四

年小通詞末席筆頭、寛政五年小通詞並、寛政六年父仁左衛門の隠退にともなって家督相続し、小通詞となった。

父の仁太夫は自然科学に通じていたことで知られている。由緒書には「御用万国地図書」二冊を翻訳したことが書かれ、特に天文系を得意としていた。

本木家の由緒のなかで、詳細な事績を載せているのが庄左衛門の曾祖父庄太夫である。庄太夫はオランダ商館（【写真4】）が平戸にあった頃に生まれ、平戸の松浦家に仕えていた。オランダ商館が寛永十八年（一六四二）に長崎出島へ移ったことで、本木家も長崎へ移り、オランダ通詞として働くことになったのである。寛文四年（一六六四）に小通詞、寛文八年（一六六八）に大通詞となり、数度にわたりオランダ商館長の江戸参府に付き添ったことが記される。

さて、この庄太夫の記事のなかでは江戸城でのできごとが特筆される。ここで天和二年の時の様子を引用してみよう。原史料では闕字《けつじ》・平出《へいしゅつ》・擡頭《たいとう》の三種類の尊敬を示す表記が使われている。尊敬表現では一字空ける闕字が使われ、「御公儀」「御城」「御上覧」など将軍家に関わる用語では改行して示す平出、「厳有院様《げんゆういんさま》」など将軍を指す用語では改行し、さらに一文字以上上げて示す擡頭が用いられる。翻刻では、闕字を一字空け、平出・擡頭を二文字空けで表記した。また、読みの便宜をはかるため、原文引用の後に読み下しを付けた。

写真4　平戸オランダ商館復原倉庫　（撮影：筆者）

〔史料〕

一、曾祖父阿蘭陀通詞目附　　本木庄太夫

右者代々肥前松浦侯家士ニ御座候処、寛永之頃、阿蘭陀商売平戸ゟ長崎江御移ニ相成候後、通□（弁）相心得候者、平戸表江長崎御奉行所ゟ御所□（望）ニ付、右庄太夫御当地江差越候処、寛文四辰年　　厳有院様　御時代、小通詞被　仰付、同八申年　大通詞被　仰付、阿蘭陀人江附添、九度江府参上仕候内、天和二年二月廿八日　　常憲院様御時代於　　御城、例之通拝礼被為　仰付候後、阿蘭陀人三人庄太夫召連、罷出候様被　仰出、於　御白書院　御簾弐間程近く被召寄、御老中様御列座ニ而、阿蘭陀人之名、歳、阿蘭陀国之寒暖、衣服之次第等被為遊　御尋其後阿蘭陀人謡ひ舞、　徳松君様被為遊　御上覧候御儀被為　仰出候処、阿蘭陀人共恐入、達而御断申上候ニ付、庄太夫乍恐罷出、阿蘭陀舞仕謡候節、引続阿蘭

陀人も舞申候、右唱歌被為遊御尋候ニ付、早速和解奉申上候、右相勤候為御褒美、庄太夫□(江)
御紋附之御破魔弓被為遊　御投候を堀三左衛門様御取次を以、奉頂戴候、右　御破魔弓尓今
持伝罷在候、元禄八年亥年迄三拾弐ヶ年相勤、同年庄太夫儀、大通詞役御暇奉願候処、同年
新規ニ通詞目附役被　仰付、其節剃髪之儀奉願候処、御赦免被成下、良意と改名仕、同十二
月御役所式日之御礼座席格別ニ被仰付、通詞目附役三ヶ年相勤、寛文四辰年より元禄十丑迄
三拾四ヶ年相勤、同年病死仕候
　但、寛文十二子年より当家ニ御取立被仰付、寛延二巳年迄当家相続仕候、右之間別家本木
太郎右衛門大通詞相勤、其子本木清次右衛門小通詞相勤候、然ル処、清次右衛門実子無之、
　養子及三度候訳を以跡役不被仰付候、

〔読み下し〕
　一、曾祖父オランダ通詞目附《つうしめつけ》本木庄太夫
右は代々肥前松浦侯家上《かし》に御座候処、寛永の頃、オランダ商売平戸より長崎へ御移りに相成
り候後、通□(弁)相心得候者、平戸表へ長崎御奉行所より御所□(望)につき、右庄太夫御当地へ差し
越し候処、寛文四辰年厳有院様《げんゆういんさま》御時代、小通詞仰せ付けられ、同八申年大通詞仰せ付けられ、
オランダ人へ附き添い、九度江府《えふ》参上仕《つかまつ》り候うち、天和二年二月二十八日常憲院様《じょうけんいんさま》御時代、
御城において例の通り拝礼仰せ付けさせられ候後、オランダ人三人庄太夫召し連れ、罷《まか》り出

で候様仰せ出だされ、御白書院において御簾《みす》二間程近く召し寄せられ、御老中様御列座にてオランダ人の名、歳、オランダ国の寒暖、衣服の次第等、お尋ねあそばせられ、その後オランダ人謡《うた》い舞い、徳松君様御上覧あそばせられ候御儀仰せ出でさせられ候処、オランダ人共恐れ入り、達して御断り申し上げ候につき、庄太夫恐れながら罷り出で、オランダ舞仕り、謡い候節、引き続きオランダ人も舞い申し候。右唱歌お尋ねあそばされ候につき、早速和解《わげ》申し上げたてまつり候。右相勤め候御褒美《ごほうび》として、庄太夫□《(江)》御紋附《ごもんつき》の御破魔弓《おんはまゆみ》お投げあそばされ候を堀三左衛門様御取次を以て、頂戴たてまつり候。右御破魔弓、今に持ち伝え罷り在り候。元禄八年亥年迄三十二か年相勤め、同年庄太夫儀、大通詞役御暇《おいとま》願いたてまつり候処、同年新規に通詞目附役仰せ付けられ、其節剃髪《ていはつ》の儀願いたてまつり候処、御赦免《ごしゃめん》成しくだされ、良意と改名仕り、同十二月御役所式日《しきじつ》の御礼座席格別仰せ付けられ、通詞目附役三か年相勤め、寛文四辰年より元禄十丑迄三十四か年相勤め、同年病死仕り候。

但、寛文十二子年より当家に御取り立て仰せ付けられ、寛延二巳年迄当家相続仕り候。右の間別家本木太郎右衛門大通詞相勤め、其子本木清次右衛門小通詞相勤め候。然る処、清次右衛門実子これなし。養子三度に及び候訳を以て跡役仰せ付けられず候

本木家は代々平戸松浦家に仕え、寛永の頃に長崎出島へオランダ商館が移転する時、通訳がで

きる者を長崎奉行が求めていた。そのため、庄太夫が長崎へ来て、徳川家綱の頃に小通詞、大通詞となった。庄太夫はオランダ商館長の江戸参府に随行し、そのうち、徳川綱吉の時期の天和二年、庄太夫はオランダ人を三人連れて江戸城へ登った（参考【写真5】）。白書院で将軍に呼ばれ、老中らが列座するなか、オランダ人の名前、年齢、服装などを尋ねられ、そのあと綱吉の息子である徳松がオランダ人の舞踊を所望した。オランダ人は遠慮して踊らないため、庄太夫が踊り、続いてオランダ人も踊った。歌の意味を将軍家が尋ねたので、翻訳して伝えたところ、将軍家から庄太夫に紋付きの破魔弓を与えたといった内容である。

4、長崎奉行曲渕甲斐守への由緒提出

先の由緒書には付札があり、「本文阿蘭陀《おらんだ》舞仕候《まいつかまつりそうろう》節之始末《せつのしまつ》取調《とりしらべ》子申上候様、於江府《えふにおいて》　曲渕《まがりぶち》甲斐守様被仰渡《かいのかみさまおおせわたされ》候ニ付、家譜中より書抜委敷《くわしく》申上置候」と書かれている。この付札に書かれた内容に相当するものが、文化元年（一八〇四）年に長崎奉行成瀬正定《なるせまささだ》より提出を求められた本木庄右衛門に関わる由緒書である。

文化元年の由緒書も現在、長崎歴史文化博物館に所蔵されている。同じ表題のものが二冊あり、共に同じ内容が記されている。表紙には「辰六月於江府《たつのろくがつえふにおいて》　曲渕甲斐守様江差上候書面《まがりぶちかいのかみさまへさしあげそうろうしょめん》」とあり、提出先は在長崎の奉行ではなく、在江戸の曲渕景露《かげみち》であったことがわかる。先ほどの付札には曲

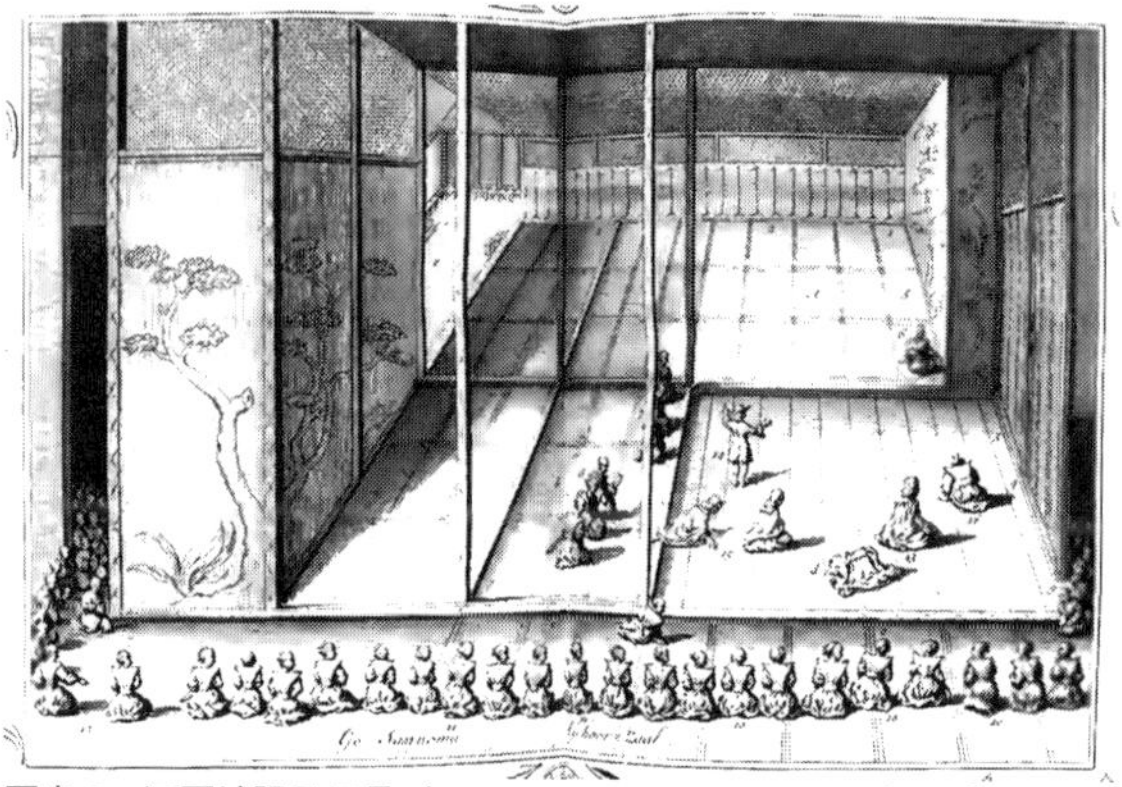

写真５　江戸城謁見風景（De beschryving van Japan・邦題『日本誌』ケンペル）（ETH-Library　https://doi.org/10.3931/e-rara-55536）

渕より取り調べを命ぜられたとあり、事実が異なっているが、文化元年の由緒書を調えた後に付札を貼ったことからくる誤りであろう。

文化元年の由緒書前半には、享和二年のものと同じ内容が書かれている。そして、「右之通《みぎのとおり》、書上□（仕）候、此度《このたび》阿蘭陀《おらんだ》舞《まい》仕《つかまつり》候《そうろう》節之《せつの》始末《しまつ》も取調《とりしらべ》子申上候様被仰渡《おおせわたされ》候ニ付、猶又《なおまた》家譜中より書抜、左ニ申上候」とある。以下、天和二年での様子を抜粋しよう。

右阿蘭陀舞之儀被仰出《おおせいだされ》候節、御目通之通詞《おめどおりのつうじ》者《は》庄太夫壱人相勤、阿蘭陀かひたん（カピタン）へんでれきかんせす、外科やんはるでんせん、ヘトル役かるいると申候、阿蘭陀人三人召連罷出《めしつれまかりいで》、右御尋之《おたずねの》へ次第《しだい》一々御答申上候末、阿蘭陀舞之儀被為仰出《おおせいでさせられ》、阿蘭陀人江申聞《もうしきけ》候処、恐入、急速ニ承引不仕《しょういんつかまつらず》恐多も庄太夫儀立上り、我朝之公命《わがちょうのこうめい》を蒙候《こうむりそうろう》而者《ては》、即時も違背不相叶《いはいあいかなわず》、是を見よと阿蘭陀人と申聞、阿蘭陀舞仕《つかまつり》謡《うた》ひ候処、夫《それ》を見候而引続キ阿蘭陀人も謡ひ舞仕、至而御機嫌ニ相叶唱歌《しょうか》被為遊御尋《おたずねあそばせられ》候ニ付、不取敢《とりあえず》、我朝之歌ニ、君か代は千代にや千代にさゝれいしの岩ほとなりて苔乃むすまてと申候唱歌の意を奉祝《いわいたてまつり》候旨、御即答奉上候御簾之内より庄太夫江下さるゝと被為掛御声《おこえをかけさせられ》御破魔弓御投被為遊《おなげあそばされ》候を難有《ありがた》く押し戴《いただ》き、直《じか》ニ肩に上け舞なから復座仕候と、私家代々申伝候、尚其節唱歌之蘭語を相認メ、和解仕《わげつかまつり》候様被仰出《おおせいだざる》、

そして、このあと、オランダ歌とその和解を記した後、

右者《みぎは》私家大切に相伝申候而《あいつたえもうしそうろうて》、毎年正月元旦、家業阿蘭陀言葉の申初メに、此歌を唱へ和解《わげ》を読ミ、恵方《えほう》に向ひて礼拝黙謝仕《らいはいもくしゃつかまつり》候を、年々歳初の吉例と仕候。右拝領之御破魔弓御弓二ツに数多之矢《あまたのや》を立並《たてなら》べ、難有《ありがたく》も葵章之御紋数三十六有之《これある》に、今持伝へ弓八幡宮と奉仰《あおぎたてまつり》、恐多《おそれおおく》も家之鎮守に納め奉り、御武運御長久と拝礼し奉り、私式卑賤のもの、自分として、誠ニ冥加《みょうが》に相叶候御事とも格別なる御上之御恩遇難有奉存《おかみのごおんぐうありがたくぞんじたてまつり》、子孫の末々までも、縦初にも家職之御奉公怠慢仕間敷《たいまんつかまつるまじき》旨、代々申伝候、（下略）

と、本木家では、代々正月になると必ずオランダ歌と和解を読み、恵方に拝礼し、下賜された破魔弓を家の鎮守としてまつって武運長久を祈るという慣例も作られた。

本木家にとり、庄太夫はオランダ通詞としての本木家の祖として顕彰される人物である。その理由の一つが、天和二年の庄太夫の舞に対して将軍家から紋付の破魔弓を下賜されたことであった。毎年おこなわれる商館長の江戸参府に随行する通詞は必ずしも同じではない。参府で、オランダ人たちへ下賜物があることは事実であるが、オランダ通詞への下賜は当然だったとは限らない。だからこそ、「右御破魔弓、今に持ち伝え罷り在り候」と由緒書にわざわざ書くことは、本木家のアイデンティティを強調する意味がある。この歴史事実が本木家の栄誉だったからこそ由緒書に記したのであり、子孫に代々伝えるべき家の歴史として、今後も大切に伝えられていくのである。

5、史料を探す楽しみ

今回紹介した事実は、長崎歴史文化博物館に所蔵されている史料に基づいている。博物館の所蔵史料、特に郷土資料は、かつて長崎県立長崎図書館の郷土資料室や長崎市立博物館などに保存管理されていたものである。所蔵史料の特徴のひとつは、自治体系史料によく見られる「○○家文書」と名付けられたものではなく、いわゆるコレクションが多い点である。地元長崎で精力的に活動していた郷土史家たちが収集し、あるいは丹念に調べ上げて筆耕した原稿などが文庫としてまとめられている。

現在、ウェブによる所蔵史料検索が可能になっているものの、冊子体での史料検索、史料群検索は困難である。たとえば今回紹介した享和二年・文化元年の由緒書は「由緒書」というキーワードから拾い挙げたもので、ともに「渡辺文庫」のなかに収められている。「渡辺文庫」とは、郷土史家であった渡辺庫輔《くらすけ》氏が収集した図書類のほか、古文書・記録・典籍などの総称で、そのなかに旧記（『長崎実録大成』）や、唐人屋敷関係資料、遊女町でもあった丸山町・寄合町の諸事控、長崎地役人の勤方をはじめ、渡辺氏による史料の筆写ノートなどが含まれている。

そのような意味で、博物館にはあまり目に触れられていない数多くの史料があると思われる。曲渕へ出した由緒書には、「由緒」とは書かれていない。参考論文に使われていることはわかっていたが、そこには所在不明と書かれていた。ウェブ検索できなかった時代はコンピュータからの出力用紙をめくりながら探さねばならず、見落としたためであろうか、最初は見つけることができなかった。その一方、意外な史料に出会うこともあり、無駄な作業ではなかった。現在、「曲渕」をキーワードにしてウェブ検索すればすぐに結果が出てくる。しかし、それは内容やキーワードを知っているからできることである。

現在、史料はウェブ検索で探していくのだが、そのことを言い換えるならば、あまり目に触れることのないさまざまな歴史資料が隠れている可能性が高いということである。だからこそ、どのような史料があるのか検索する時には「宝探し」のような気持ちになるのである。

参考文献

・笠原潔「江戸時代の日本で歌われたオランダ歌曲について」（『放送大学研究年報』二一号、二〇〇三年）
・ケンペル『江戸参府旅行日記』（平凡社東洋文庫、三〇三、一九七七年）
・『日本関係海外史料　オランダ商館長日記』譯文編（東京大学出版会）
・Engelbert Kæmpfer, De beschryving van Japan, Amsterdam: A. van Huyssten 1733（ETH-Library https://doi.org/10.3931/e-rara-55536 Public Domain）

13

日本の宗教文化の特質

偶然ではない必然
――高山彦九郎と羽黒修験――

原　淳一郎

対象地域
山形

1、高山彦九郎の東北への旅

寛政二年（一七九〇）六月七日、高山彦九郎《たかやまひこくろう》は江戸を出発した。手始めに水戸へ赴き、それから出羽国を経由して津軽半島まで足を延ばしたが、蝦夷地へ渡ることは断念して折り返し、盛岡、平泉、仙台へと歩を進め、林子平《はやししへい》と交流を深めた。本来ならこのまま子供を残している上野国新田《にった》郡細谷《ほそや》村に立ち寄り、江戸へ戻ったであろうが、京で新御所が完成し、後桜町《ごさくらまち》上皇と光格《こうかく》天皇が新御所へ移る儀式に参列するため、京へ急いだ。

彦九郎が京に到着した時には、すでに儀式は終了していた。しかし、岩倉具選《いわくらともかず》宅などに宿りながら、多くの公家と交流し、光格天皇にも拝謁し、人伝に光格天皇が褒めていたことを知る。この時の感激は一入《ひとしお》だったようである。さらに光格天皇が実父の典仁《すけひと》親王に対して太上天皇（上皇）の尊号を贈ろうとした、いわゆる「尊号《そんごう》一件」にも遭遇し、後にこれがもとになって幕府に目を付けられることとなった。その結果、九州で遊説をしていた彦九郎は、一時豊後国日田《ひた》で捕らえられ、寛政五年（一七九三）に筑後国久留米《くるめ》で自刃した。寛政二年に江戸を出てから、一度も郷里にも江戸にも戻ることなく生涯を終えることとなった。

高山彦九郎は延享四年（一七四七）、上野国新田郡細谷村（現群馬県太田市）に生まれた。幼いころから『太平記《たいへいき》』を読み尊王《そんのう》思想に目覚め、一八歳で京に出てから勉学に励み、二七歳頃から全国各地へ赴いている。彦九郎は膨大な量の日記を残しており、旅の記録や多くの人々との交流がうかがわれる。アンガージュマン的ともいえるその生き方は、その後多くの人々の心を捉え、近代の学校教育では、『国史』の教科書に源頼朝《みなもとのよりとも》や足利尊氏《あしかがたかうじ》よりも上位の扱いで取り上げられた。自ら残した日記が豊富な彦九郎は、研究対象として充分すぎる魅力をもつ人物である。

ここでは、この高山彦九郎の晩年の東北への旅を事例に、史料を扱う者が時折感じるささやかな喜びについて述べていきたい。この旅を記録したものが「北行日記《ほっこうにっき》」である。この紀行文はつとに知られており、『日本庶民生活資料集成』に収録され、『高山彦九郎日記』（全五巻）にも収載されている。

彦九郎は水戸から北上し米沢でしばらく滞在したのち、山形と大沼（浮島）を経て、八月二日に出羽三山の登山口のひとつ本道寺へ達した。現在一般的に「出羽三山」と呼ばれているが、この呼称が一般的に使用されるようになったのは近代以降である。また石碑名や道中日記の題名

高山彦九郎像　（撮影：筆者）

からすれば、「羽黒山《はぐろさん》・月山《がっさん》・湯殿山《ゆどのさん》」とするか、あるいは「湯殿山」のみ記されるのが一般的であった。

これには明確な理由がある。ほぼ江戸時代を通じて、天台宗系と真言宗系とで対立があったからである。いわゆる「両造法論」と呼ばれるものである。事の発端は、宥誉《ようよ》（天宥《てんゆう》）の登場である。宥誉は若くして羽黒山執行・別当に就任し、羽黒山までの参道に石を敷き、石灯籠を整備し、杉並木を奨励し、須賀の滝を創作するなどして参詣者に便宜を図るとともに、信仰の山としての威厳を高める工夫を凝らすなど、多岐にわたる山内改革をおこなった。これが羽黒山中興の祖とされる所以《ゆえん》である。

この宥誉は真言宗であった羽黒山を天台宗に改宗することを企図し、寛永十八年（一六四一）には天海《てんかい》僧正に師事した。この際、天海から「天」の字を賜り、宥誉から天宥に改称している。天宥は、羽黒山を寛永寺の末とし、また日光東照宮を勧請し東照社を創建し、自身の出身地であるともされる登山口の一つ、岩根沢の日月寺《にちがつじ》、肘折《ひじおり》の阿吽院《あうんいん》も天台宗に改宗させた。一連の動きは、幕府の実力者に近づくことで幕府の庇護を得るのが目的であった。より積極的に評価をするならば、修験は本山派と当山派のいずれかに所属することが求められるなかで、上手に天台宗を隠れ蓑にしつつ、羽黒修験の独自性を保つことに成功したといえよう。

しかしながら、天宥の振舞いは山内に大きな禍根を残すこととなった。というのも、天台宗に改修せず真言宗に踏みとどまった寺院達がいたからである。これらの寺院は、湯殿真言四箇寺と称される、注連寺《ちゅうれんじ》、大日坊《だいにちぼう》、大日寺《だいにちじ》、本道寺《ほんどうじ》の四寺である。さらに天宥が寛文五年（一六六五）にも再び、湯殿真言四箇寺を羽黒の末とするよう幕府へ訴えたが、この際には四箇寺は空海や高野山とのつながりを強く訴えることで争論に勝利し、独自の道を歩んでいくきっかけとなった。おそらくは羽黒側から訴えられることで、急速に真言宗寺院としての自我意識を深めたのであろう。

注連寺と大日坊は、即身仏で知られた寺であり、庄内藩領にあり、湯殿山の北西からの参詣者の玄関口であった。大日寺は湯殿山から南西に一大山岳宗教集落を形成していた大井沢にあり、置賜《おきたま》地方の黒鴨《くろかも》（米沢藩領、現白鷹町《しらたかまち》）から山を越えて至るルート（道智道《どうちみち》）を使用する中通り、会津、置賜からの参詣者を受け入れていた。本道寺はこれら四箇寺のなかで中心的存在であり、東北隋一とされた伽藍がその威容を誇っていた。本道寺は湯殿山の南東に位置し、山形城方面からの参詣者を出迎えていた。

彦九郎が宿りを求めたのは、この本道寺である。彦九郎は、ここで湯殿山の散銭を盗んだ者を捕まえるため、庄内藩側から羽黒へ搦手《からめて》を遣わして「大戦」に及んだという事件を耳にしている。彦九郎が訪れた時期は、寛水・寛文に生じた「両造法論」が再燃しただけでなく、実際に殺人事件にまで至った真っ最中であった。

「両造法論」は羽黒山が天台宗へ改宗し、寛永寺の麾下《きか》に下ったことが発端ではあるが、現場では、とくに湯殿山の権利をめぐって軋轢《あつれき》が生じた。近世初期の争論では、幕府の寺社奉行所まで持ち込まれ、羽黒と月山が天台宗系、湯殿山が真言宗系の管轄となる裁定が下ったとされる。しかし、羽黒側の主張としては、羽黒山・月山・湯殿山の三山で一体であり、しかも湯殿山は日本列島全体を見渡しても他に類を見ない、ご神体の岩から湯が沸き出る特異な霊地であり、まさに神聖なる「奥の山」であった。そのため羽黒側が月山から下って湯殿山へ案内することは依然として行われていた。その後湯殿山への賽銭をめぐって時折揉めることはあっても、気炎万丈な押し問答にまで至ることは寛文以降なかったが、双方永年にわたり鬱積《うっせき》していたものが一気に噴き出したのが寛政期である。

この直接的な契機となったのが、天明六年（一七八六）に、湯殿側が「湯殿山法則」という高札を境界に建てたことである。この法則は湯殿の管轄権が真言四箇寺にあること、湯殿山での参拝は真言宗の作法に従うことなどが書かれていた。これに対して寛政元年（一七八九）に、羽黒山が寛永寺を動かし庄内藩を通じて高札を外させようと画策したが、あえなく失敗すると、翌寛政二年に実力行使に及び、武装して湯殿山に乗り込み、高札を奪った。さらに後日には湯殿側の番人を連れ去り拷問を加え、また七月二十五日には鉄砲で一人の番人を撃ち殺し死体を羽黒へ持ち出した。湯殿側も一歩も引かず、二十九日に庄内藩が追手を羽黒へ遣わして下手人を捕縛した。彦九郎が訪れたのは八月二日であるから、ちょうどその直後である。まさしく緊迫した状況下であった。

ちなみにこの争論は、翌寛政三年にも羽黒が訴え出て、寛政十一年まで続いた。結果的に、これまで通り湯殿山側の権利が守られる一方、問題の発端となった高札は取り払われることとなった。この争論は、それぞれの背後に、徳川家が尊重する寛永寺と、譜代である庄内藩主酒井家が後ろ盾となるなど（四箇寺のうち二寺は幕府領）、徳川家所縁の人々を巻き込む複雑な様相を呈したが、その裁定は証拠を重視する公平なものであった。

さて彦九郎は、八月三日に本道寺を出ると、弓張《ゆみはり》を経て、志津《しづ》で宿泊した。志津から石跳沢《いしばねさわ》を通り装束場から鎖を使って危険な所を下って湯殿山に参拝した。そこから装束場まで登り返して、月山へ登頂し石室に止宿し、それから下山して羽黒山を参拝した。羽黒では二泊し、鶴岡に出ている。

彦九郎の登拝には、本道寺の宿坊専識坊から二名の案内者が付けられた。志津を出る朝、そのうちの一名は本道寺へ戻り、残りの一名が月山までの先達となった。それから石跳沢を登った先にある大井沢の小屋（大井沢口から登る参詣者用の小屋）で休んだ際、この小屋から荷持として行者《ぎょうじゃ》を出してもらっている。この二名が湯殿山から月山山頂まで同行してそこで分かれている。彦九郎はこの別れを「両人共に名残おしみて別れたり」と認《したた》めている。月山山頂からは羽黒先達の大蔵坊（下山後、大蔵坊に宿泊する）が案内をつとめた。

彦九郎はきわめてまめな人で、旅の途中で出会った人物は有名無名を問わず、その人の名前や在所を書き留めている。そのため同行した二名の素性が明らかとなっている。

案内をしたのは奥州栗原郡東ウ田村生まれの円随という行人で、実は栗原郡一の迫八槻《はさまやつくぬぎ》木村（八槻村）八槻山興福寺の住持祐長であったが、山を好んで一〇年余湯殿山に暮らし、この時五五才であった。大井沢小屋から強力をしたのは、羽州米沢領下長井伊佐沢《いさざわ》村の行善院宥賢という行人で、この年の四月から山居しており二五才であった。この行善院は羽黒修験である。この米沢藩領内の羽黒修験が、実質的に湯殿側で活動していることは驚きである。これはなぜであろうか。

２、特異な米沢藩の宗教政策と湯殿参詣

米沢藩は、宗教的に毛色の変わった藩である。①上杉家は謙信以来真言宗に帰依し、菩提寺が真言宗寺院であった（他に人吉《ひとよし》藩、数代の藩主が帰依した福岡藩など数例に限られる）、そして②米沢城内二ノ丸内に、二一もの真言宗寺院が配され、本丸内の高台に築かれた御堂（謙信の遺体を安置）への勤行が課されていた。また③領内の寺院の管轄を真言宗寺院の法音寺《ほうおんじ》（醍醐寺三宝院《さんぼういん》末）、領内の修験の管轄を当山派修験の大善院が司っていた。

大善院は、当山派のみならず、羽黒派（六先達・十二先達が統括）、本山派（上小松《かみこまつ》村南善院が統括）をも管轄した。④当主の意向を反映して、領内では当山派が他派を凌駕していた。「領内寺社帳」（年代不詳）によれば、当山派一〇三に対して、羽黒派九九、本山派九、熊野派三であった。東北では、十二世紀から十五世紀に熊野信仰が盛んとなったこともあり、一般的に本山派と羽黒派の争いとなることが多いが、米沢藩領では当山派と羽黒派との勢力争いが繰り広げられた。両者の相克については、数多くの史料が物語っている。

また修験が住居する地域にも特徴がある。羽黒派は置賜地方の北西部に集中しており、反対に当山派は城下を含む南東部に偏住している。これを考えると、新義《しんぎ》真言宗の法音寺は醍醐寺三宝院末であり、領内修験を支配する当山派大善院も三宝院門跡の末である。したがって、上杉家の入部以降、城下周辺で、当山派へ鞍替えする本山派修験や羽黒修験があとを絶たなかったという

ことであろう。

米沢領内の羽黒修験も、大井沢大日寺を拠点に、湯殿山参詣の先達をしていたことも考えられる。なぜなら、羽黒側へ先達すると、檀家が三山詣をしている間、羽黒（手向）の宿坊に留め置かれて先達できないが、湯殿側では湯殿山や月山まで先達が可能となるからである。山内が二分されていることに加えて、現場でのこのような事情から、湯殿参詣が成り立っていた。たとえば幕府右筆屋代弘賢《やしろひろかた》が各地の風俗調査をした史料のうち、旧米沢藩領にあたる陸奥国信夫《しのぶ》郡・伊達《だて》郡の部に次のような記載がある。

> 出羽の湯殿山権現参詣。水をあび別火の行をなして参る。六七月比《ごろ》（頃）。参詣せぬ人も七日行計りするもあり。伊勢参宮、江戸・京・大坂・大和、近年は金比良《こんぴら》迄《まで》、一代に一度参る

とあって、石碑、道中日記のみならず、さまざまな史料から湯殿参詣が独立しておこなわれていたことが分かるのである。

では具体的な事例を見ておきたい。上伊佐沢村（現長井市）の鈴木家文書に残された二つの史料から、三回の湯殿参詣の記録が見出せる。年代順に見ていこう。①文政三年（一八二〇）『湯殿《ゆどの》山参詣餞別受納幷万留帳《さんさんけいせんべつじゅのうならびによろずとめちょう》』によれば、伊佐沢村の鈴木光里という人物は二十八歳で、この四

年前伊勢参宮を行っている。六月一日から十三日まで精進、十四日に別火《べっか》、十五日から二十九日まで村内の羽黒修験行善院にて行屋籠《ぎょうやごもり》をして上火《じょうか》している。この行善院とは、まさしく高山彦九郎を案内したその人である。これをして偶然と呼ばずして何と呼べば良いだろうか。大仰な表現を繰り出してしまったが、こうした偶然に出逢うことは歴史家の密やかな快感である。長年疑問だった事柄が別の史料でもって解決したり、思いもかけない史料に、ちょうど調べている人物が出てきたり、ということは歴史家であれば幾度となく経験してきたことであろう。

この行善院は、この時四十五歳である。行屋籠のあと、二十九日に行善院と光里ら四名で村を出立し、三十日に大井沢宿坊金蔵院へ到着、七月一日に湯殿山へ登拝し山籠りをした。翌二日に湯殿山を下り、四日には帰村し、それから十九日まで行屋籠をおこない、二十日に帰宅、二十一日まで二日間別火をし、二十一日から八月二日まで平火ながらも精進をした。

以上のように、約二ヶ月間の精進潔斎をおこなっている。光里の初参りということもあるだろうが、参詣の前後にそれぞれ約二週間の自宅での精進があり、さらに同じくそれぞれ二週間の行善院での行屋籠もおこなっている。光里が行善院と姻戚関係にあることもあるが、全国的にみても近世後期としては異例の長さであろう。そして本論で繰り返し述べているように、湯殿山のみの参拝である。決して三山参詣ではない。

この家では、この二一年後、②天保十二年（一八四一）光里の嫡子光恒の初参り、その翌年、

③天保十三年の二回の湯殿参詣とその前後の精進儀礼の記録がある。それぞれも、八名中四名、七名中三名が初参りであって、先達の行善院のほか、村のなかで湯殿参詣の経験が豊富な者が先導したのであろう。

これについては、①から③まで明らかな世俗化が見られるが、それでもこれほどまでに厳格な儀礼として山岳登拝がおこなわれていることは驚きである。また村落単位なのか、血縁なのか、あるいは両方か、現時点でははっきりしないが、必ず経験者が「初参り」の若者を先導していることは、普遍的な動向である。このように置賜地方において、否、より広域において、羽黒修験が湯殿参詣を下支えしており、ゆえに高山彦九郎と羽黒修験行善院が湯殿真言系の勢力圏内で出会うという、一見不合理な歴史的事実を生んだのである。このようなアンビバレントであり、不二な状態が、いくつか沸点を超えることがあっても、日常では違和感を抱かれることなく穏やかに宗教行為が営まれていたという事実こそ、日本の宗教文化の特質をよく露呈していると言えよう。

参考文献

・岩鼻通明『出羽三山—山岳信仰の歴史を歩く』（岩波書店、二〇一七年）

・『西川町史』上巻（一九九五年）
・堀伝蔵編『西川町史編集資料第一号・妙学坊文書』（一九七五年）
・宮家準『羽黒修験』（岩田書院、二〇〇〇年）
・渡部留治編著『朝日村誌（一）湯殿山』（一九六四年）
・「風俗問状答」（『日本庶民生活史料集成・第九巻・風俗』三一書房、一九六九年）

14　ワッパ騒動の裁判と法
――庄内の維新――

地方史と国の歴史を結ぶ

長沼秀明

対象地域
山形

1、庄内大会開催とワッパ騒動義民顕彰会の活動

今から八年半前の二〇一一年十月、地方史研究協議会の第六二回（庄内）大会が山形県鶴岡市で開催された。共通論題は「出羽庄内の風土と歴史像―その一体性と多様性―」である。この大会の詳細は同名の成果論集（地方史研究協議会編、二〇一二年）に詳しいが、大会の大きな成果として、二年間にわたる大会準備をつうじ、自治体ごとに結成された研究団体が定期的に一堂に会する機会を得たことがあげられる。これら諸団体のうち特筆すべき活動を展開していたのが、ワッパ騒動義民顕彰会である。

この会は、二〇〇四年十月、秩父事件顕彰映画「草《くさ》の乱」の上映を契機として「ワッパ騒動義民顕彰を呼びかける会」として発足。以後、学習会、現地ツアー等を重ねた。その後、二〇〇八年、「ワッパ騒動義民顕彰会」と改称し、「義民顕彰碑」の建立を方針として掲げ募金活動を展開。

同年九月、「ワッパ騒動義民之碑」が序幕されたのであった。そして、これが契機となり、ワッパ騒動の研究が豊かに発展することになったのである（ワッパ騒動義民顕彰会、二〇一〇）。

2、ワッパ騒動関係史料集の刊行による研究の進展

そもそも、ワッパ騒動とは、明治六年（一八七三）末から同十二年十二月まで庄内地方に起きた「一揆《いっき》」であり、「山形県庄内一揆」と呼ばれることもある。「ワッパ」とは弁当箱の曲げワッパのことで、要求にあった過納年貢償還《しょうかん》が実現すればワッパ一杯の償還金があるとされたことによるという（『国史大辞典』、一九九三年）。一揆の初発は、新政府の年貢石代納《ねんぐこくだいのう》許可の方針に同調しない酒田県の買請《かいうけ》石代納制に対する石代納要求にあった。

東北文科公益大学の三原容子教授（当時）は、ワッパ騒動義民顕彰会の記念誌で「ワッパ騒動の研究史」をまとめている（ワッパ騒動義民顕彰会、前掲）。三原は「騒動の経過」を「時系列に従って七期に分けて」紹介する。すなわち、「1　前史」「2　石代納闘争の始まり」「3　内務少丞《じょう》・松平正直《まつだいらまさなお》の裁定とその影響」「4　指導者の逮捕と釈放運動」「5　森藤右衛門《もりとうえもん》による訴願闘争」「6　児島惟謙《こじまこれかた》判事、鶴岡出張臨時裁判と二年後の判決言い渡し」「7　判決の後」の七期である（表題中の年月は省略）。同時に三原は、「「史料」にもとづく研究」が本格化したのは、地元で「史料集」が刊行されて以後のことであるとし、重要な史料集として『山形県史』資料編、『酒

田市史』史料編、鶴岡市による『ワッパ騒動史料』をあげる。そして、その後も地元で、ワッパ騒動の研究に「欠かせない一級の史料」が新たに発見されたことを伝える。

3、法制史上の重要事件としてのワッパ騒動

冒頭に掲げた本会大会の実行委員を務めたワッパ騒動義民顕彰会の星野正紘事務局長（当時）は、ワッパ騒動義民顕彰会による記念碑の建立を「転機」として「小野梓ら『共存同衆』との関わり、日本の法制史上の重要な歴史事件という視点も見え」てきたと問題提起する（星野、二〇一一）。そして、本会常任委員を務める筆者は、かつて修士論文の成果をまとめた拙稿（長沼、一九九二）が星野事務局長の目にとまり、庄内の地へと招かれ、庄内で二度も（一度目は鶴岡市で、二度目は酒田市で）講演の栄誉をたまわることとなったのであった（長沼、二〇一一。森藤右衛門を顕彰する会、二〇一二）。

ところで星野は、右の問題提起のなかで、たいへん重要なことを指摘している。星野は言う。

ワッパ騒動の研究は、地域を中心に見るだけでは見逃してしまうことも改めて認識した。法曹界におけるワッパ騒動は、森（藤右衛門──引用者）の建白書を中心に研究が進んでおり、当時の明治政府、日本にとって森の建白書が重大な意味を持っていた。

そして星野は、沼間守一《ぬまもりかず》、河野敏鎌《こうのとがま》ら「元老院派」と森との関係、さらには「共存同衆」に参加していた金井允釐《かないいんり》に注目する。ワッパ騒動に関する庄内地方の史料のおもしろさは、まさに星野が言うように、ワッパ騒動が「地方史と国の歴史を深く結び日本の形をつくる上で重要な出来事」であったという点に由来している。

このことに関連し、熊谷開作《くまがいかいさく》が、つぎのように述べていることは、きわめて重要である（熊谷、一九九一）。

（ワッパ騒動は――引用者）農民一揆とくらべて特色をもつだけでなく、数多くみられた自由民権運動とくらべても、きわめてあらわな特色をもっている。その特色は、一言でいって、農民の要求が訴訟の形をとっていた点に求められる。

そして、このワッパ「騒動」を「訴訟」へと大きく転換した人物こそが、森藤右衛門その人なのであった。

森は、天保十三年（一八四二）、酒田の有力商人（三十六人衆）唐仁《からに》屋の次男に生まれている。二七歳で「御一新」を迎え、初期町政においては副戸長として行政に携わり、ワッパ騒動では「多数農民の実力闘争を中央政府への訴願闘争へと導き、勝訴を獲得するのに重要な役割を果した」。そして、ワッパ騒動をつうじて全国に名が知られるようになり、各地の自由民権運動家との交流も始まった。「圧倒的な支持を得て酒田戸長に当選」し、その後、山形県会議員に当選したが、約一年後の明治十八年（一八八五）、山形市で急逝した。四四年の生涯であった（三原、二〇一二）。

4、森藤右衛門関係史料

星野が着目する、そして筆者の専門領域でもある「裁判と法」という視点から、ワッパ騒動に関する庄内地方の史料を一つ紹介しよう。

この史料は、現鶴岡市内の旧羽黒《はぐろ》町手向《とうげ》地区に残された「芳賀文書《はがもんじょ》」中の一史料である。この史料を伝えてきた芳賀家は、森藤右衛門の妻であった鉄世《てつよ》の生家である。藤右衛門の死後、彼女は実家に戻り、ここで最期を迎えた。鉄世は生家に戻る際、夫の関係資料を大行李《こうり》一個に入れて持ち帰ったという。そして、そのまま誰の目にも触れられず、彼女が世を去った後も部屋の片隅に置かれたままになっていたのだそうだ。その後、鶴岡市の地方史研究家であった佐藤治助が同家を訪ねた折、この史料群を発見し、鶴岡市郷土資料館に預けられることになったのである（酒田市史編纂委員会、一九八二）。地域で活躍する地方史研究の優れた担い手が貴重な史料を発掘し、史料の価値を十分に知る当該地方の人びとのおかげで貴重な史料が陽の目を見ることになったと言ってよい。

5、史料を読む――「法律学舎支校開業願」

「芳賀文書」中の森藤右衛門関係史料のうち筆者が最も注目するのは、「法律学舎支校開業願」（明治八年七月二十七日）である。この史料は、『酒田市史』史料篇に所収されており、一部を抜粋して紹介しよう（酒田市史編纂委員会、前掲）。

〔史料〕

千二百壱号

法律学舎支校開業之願

（中略）

一、支校位置

酒田県下第二大区四小区鶴ヶ丘代官町捨壱番地栗原進徳《しんとく》宅

（中略）

一、教員

宮城県下北三番丁百四拾七番地

士族　清　水　斎《さい》　記《き》

明治三年より同四年迄《まで》田口文造方へ入塾漢学修行同年より本年迄箕作麟祥《みつくりりんしょう》方へ従学
仏蘭西《ふらんす》法律学修行仕候事
一、教員給料無之《これなし》
一、学科
内国《ないこく》法律諸書　支那《しな》及西洋各国法律翻訳書《ほんやくしょ》
一、教則
生徒分ケ上下二級トス
下級　内国法律書　上級　外国法律書
一、校則
此《こ》ノ校ニ入ル者実際研究ヲ主トシ各自達才成徳《たっさいせいとく》以テ国家ノ用ニ供スルノ心掛《こころがけ》アルヘキ事
（中略）
一、教授時間　午前八時ヨリ十時マテ　午後生徒会読《かいどく》
一、入舎料　金壱円
一、月謝　金五拾銭
一、講堂費　金拾銭
右壱ヶ月惣計《そうけい》金六拾銭納金毎月二日ヲ限リトス

一、休暇　県庁御定《おさだめ》休暇ニ依《よ》ルヘシ
一、怠惰又ハ規則ヲ犯ス者ハ督責《とくせき》或ハ退舎ヲ命ス
右之通開業仕度《つかまつりたく》此段奉願《ねがいたてまつり》候也
明治八年七月廿七日
酒田県第二大区四小区鶴ケ丘代官町拾壱番地
士族
栗　原　進　徳㊞
酒田県令　三　島　通《みち》　庸《つね》　殿

私学開業聞届《ききとどけ》居候事《おりそうろうこと》
㊞
明治八年七月三十一日
酒田県令　三　島　通　庸㊞

〔要旨〕
右の史料は、鶴ケ丘代官町の士族である栗原進徳が明治八年七月二十七日に酒田県令の三島通庸宛て提出した法律学舎支校開業願いである。この開業願いには、つぎのことが書かれている。すなわち、①法律学舎支校は鶴ケ丘代官町の栗原進徳の自宅に開業すること、②教員は箕作麟祥のもとでフランス法を学んだ宮城県士族の清水斎記であること、③教員は無給であること、④日

本の法律書および中国・西洋の翻訳法律書を学ぶこと、⑤生徒は上下の二級に分け、下級は日本法律書を、上級は各国法律書をそれぞれ学ぶこと、⑥入学後は法律学を現実に即して研究するものとし、優れた才能と完全な徳とによって国家の役に立つよう心がけること、⑦授業時間は午前八時から十時までとし、午後は生徒同士で法律書を講読し討論する時間とすること、⑧入学料は一円であること、⑨月謝は五〇銭であり、施設設備費は一〇銭であること、そして、一ヵ月の合計金額六〇銭を毎月二日までに納入すること、⑩休暇は県庁が定める休暇によること、⑪怠惰な者または規則違反をした者は厳しく責任を追及し、または退学を命ずること、である。そして、この開業願いは、書類提出から四日後の七月三十一日に、酒田県令の三島通庸によって聞き届けられた。

〔解説〕

この史料に関して『鶴岡市史資料編』は、つぎのように述べている（鶴岡市史編纂会、一九八一）。

元老院の垂問《すいもん》に当って、七月末森等は同志の士族栗原進徳を校主として、宮城県の民権的思想家・代言人の清水斉記を教師に招いて、酒田と鶴岡に「法律学舎」という学習結社（学校）を創設し、騒動の関係者等が内外の法律や思想について学習したことは注目すべき活動である。

　ワッパ騒動の研究が指摘してきたとおり、森藤右衛門による建白・訴訟運動により、ワッパ騒動は新たな展開を見せた。そして、この建白・訴訟運動を展開するにあたって、森らは、明治八年（一八七五）、「法律学舎」という名の法律学校を庄内の地に開設した。この、わずか三ヵ月前、岩倉具視《いわくらともみ》や大久保利通《おおくぼとしみち》らが主導する明治政府は、立憲政体樹立の詔《みことのり》により、新たに元老院、そして大審院を開設した。この両者こそが、まさに、国民の建白・訴訟を受理する機関にほかならない。翌年（明治九年）には代言人規則が公布され、建白・訴訟を支援する人びとに関する法令が整備される。

　森藤右衛門らが創設した「法律学舎」は、箕作麟祥の下でフランス法を学んだ清水斉記という人物が、無給で、国内外の法律書を講義する、まさに法律学校であった。日本が立憲国家へと大きく歩み出した明治八年に、庄内地方で、ワッパ騒動をめぐる裁判を見すえて、地域の人びとが本格的に法律学習を始めたことの意義は、このうえなく大きい。お上から与えられた「御一新」ではなく、まさに庄内の人びとによる自らの「維新」である。

6、地域の史料そして地方史研究を守り育てる人びと

二〇一二年、森藤右衛門顕彰碑が旧酒田県庁跡地の公園に建てられた（【写真1】）。翌年、山形

写真１　森藤右衛門顕彰碑　（星野正紘氏撮影・提供）

県地域史研究協議会が、ワッパ騒動を自由民権運動として位置づけるとともに、森藤右衛門を「自由民権の先駆者」として研究大会の分科会で取り上げた（樋口、二〇一四）。さらに、二〇一五年には、佐藤昌明が『庄内ワッパ事件』を上梓し、庄内の農民たちの蜂起が、裁判闘争、そして「自由を求める運動」へとつながったとして、「ワッパ騒動」は「庄内ワッパ事件」と呼称されるべきことを提唱した（佐藤、二〇一五）。庄内の人びとによるワッパ騒動の研究、そして史料の発掘は、今も続いている。

参考文献

・鶴岡市史編纂会編『（鶴岡市史資料編　庄内史料集17）ワッパ騒動史料』上巻（鶴岡市、一九八一年）
・酒田市史編纂委員会編『酒田市史』史料編第八集（社

会篇）（酒田市、一九八一年）
・熊谷開作『近代日本の法学と法意識』（法律文化社、一九九一年）
・長沼秀明「「司法権」と「ワッパ騒動」」（『明治大学大学院紀要（文学篇）』三一集、一九九三年）
・国史大辞典編纂委員会編『国史大辞典』一四巻（吉川弘文館、一九九三年）
・ワッパ騒動義民顕彰会編著『大地動く—蘇る農魂—』（東北出版企画、二〇一〇年）
・星野正紘「ワッパ騒動の研究の進展」（『地方史研究』三五二号、二〇一一年）
・地方史研究協議会編『出羽庄内の風土と歴史像』（雄山閣、二〇一二年）
・長沼秀明「日本近代法史から見たワッパ騒動」（『ワッパ騒動義民顕彰会誌』創刊号、二〇一二年）
・森藤右衛門を顕彰する会「かわら版」第七号（二〇一二年四月）
・三原容子「酒田の人・森藤右衛門の事績について」（『東北公益文科大学総合研究論集』二二号、二〇一二年）
・樋口信義「自由民権の先駆者　森藤右衛門」（『山形県地域史研究』三九号、二〇一四年）
・佐藤昌明『庄内ワッパ事件』（歴史春秋社、二〇一五年）

15

地域の歴史を豊かにするには

「山国隊」隊名をめぐるあれこれ
——誰が名づけたのか・何と読むのか——

吉岡 拓

対象地域
京都

1、山国隊について

慶応四年（一八六八）正月、同三日よりはじまった戊辰戦争の官軍側に加わるため、丹波国桑田郡山国《やまぐに》郷（現京都府京都市右京区京北《けいほく》地域）から計八〇余名の者が出陣した。そのうちの一部は、鳥取藩付属となって実際に東征に参加し、甲州勝沼《こうしゅうかつぬま》の戦いや壬生安塚《みぶやすづか》の戦い、上野戦争などの戦闘に参加、計七名の死者を出した。この東征した隊を「山国隊」と呼ぶ。

山国隊は、京都の三大祭りにも数えられる時代祭の時代行列で、先頭を歩く「維新勤王隊」のモデルになった隊である。仲村研が、明治百年に当たる昭和四十三年（一九六八）に学生社から刊行した『山国隊』という書籍は、それから二六年のちの平成六年（一九九四）、ちょうど平安京遷都から一千年に当たる年、中公文庫として復刊された。戊辰戦争の際、武士ではない人々からなる多数の草莽隊が全国各地で結成されたが、山国隊はその中でも特に著名な隊の一つだ、といえる。地元でも、隊への愛着はいまなお非常に強く、毎年十月中旬には山国隊の山笠に付された一字「魁」から名前をつけたイベント「やまぐにさきがけフェスタ」が開催され、その中で地元の方々を主な構成員とした山国隊の隊列行進が行われている。

しかし、実は山国隊は、その名称の由来や正しい呼称が、いまだ確定していない。小文では、山国荘調査団という研究団体の一メンバーである筆者が、調査の中で出会うことができたいくつかの史料を基に、山国隊の名称と呼称について、現状でわかることを示してみたい。

2、「山国隊」は誰が名づけたのか

「山国隊」の名称は誰がつけたのか。現在、通説となっているのは、岩倉具視《いわくらともみ》が命名した、というものである。『京都の文化財』には、「慶応四年（一八六八）一月四日、山陰道鎮撫総督《さんいんどうちんぶそうとく》西園《さいおん》寺《じ》公望《きんもち》は山陰道の玄関口に当たる丹波の村々へ官軍に加わるよう檄文をだす。これに呼応し、山国の農民たちは一隊を結成して馳せ参じ、岩倉具視より「山国隊」の名をもらった」（三一頁）と記されている（京都府教育庁指導部文化財保護課、二〇〇四。ルビは筆者）。

しかし、この通説、一体何を根拠にしたものなのか、実はよくわからない。筆者が確認した限り、この岩倉具視命名説が最初に主張されたのは、山国出身の水口《みなくち》民次郎という人物が昭和四十一年（一九六六）に刊行した『丹波山国隊史』である。本の中には、岩倉が述べたとされるセリフ「草葬の郷士として殊勝の心がけである。願意を聞届けるから、隊名を山国隊と称し、因幡《いなば》藩に属して後命を待てよ」が書かれているが（水口、一九六六。ルビは筆者）、出典に関する記載はない。岩倉命名説は魅力的ではあるものの、ややできすぎた話のようにも思える。しかし、対抗する説も特になかったため、これが通説となっていたのである。

ところが、最近、この山国隊命名問題についての「新説」を示す史料が見つかった。その史料は、民家の蔵などではなく、立命館大学の図書館に納められていた。一九八〇年代、山国隊のリーダーであった藤野斎《ふじのいつき》の史料が古本市場に出回った際、西園寺公望にゆかりを持つ同大学が、史料の散逸を防ぐために購入してくれていたのである（仲村、一九八八）。

史料の表題は、「西園寺殿出張《しゅっちょう》朝廷《ちょうてい》御警衛《ごけいえい》日並記簿《ひなみきぼ》」（以下、「日並記」）。作成者として「記録所」との記載があるが、筆跡は前述の藤野斎のものである。

「日並記」によれば、藤野斎らは、正月二十三日に隊の宿所と定まった屋敷へと移った。宿所の門前には、本来であれば隊の名称を張り出すべきところ、いまだ隊名が定まっていなかったため、山国郷の鎮守である山国神社の神主であることを示す「社司《しゃし》」と記した紙を張り出していた。山国郷の有力百姓達は、慶応三年（一八六七）春から社司拝任を求める運動を行い、同年末に藤野を含めた四名の者が認められた。わざわざ張り紙にするあたり、それだけこの身分に対する思い入れが強かったのであろう。

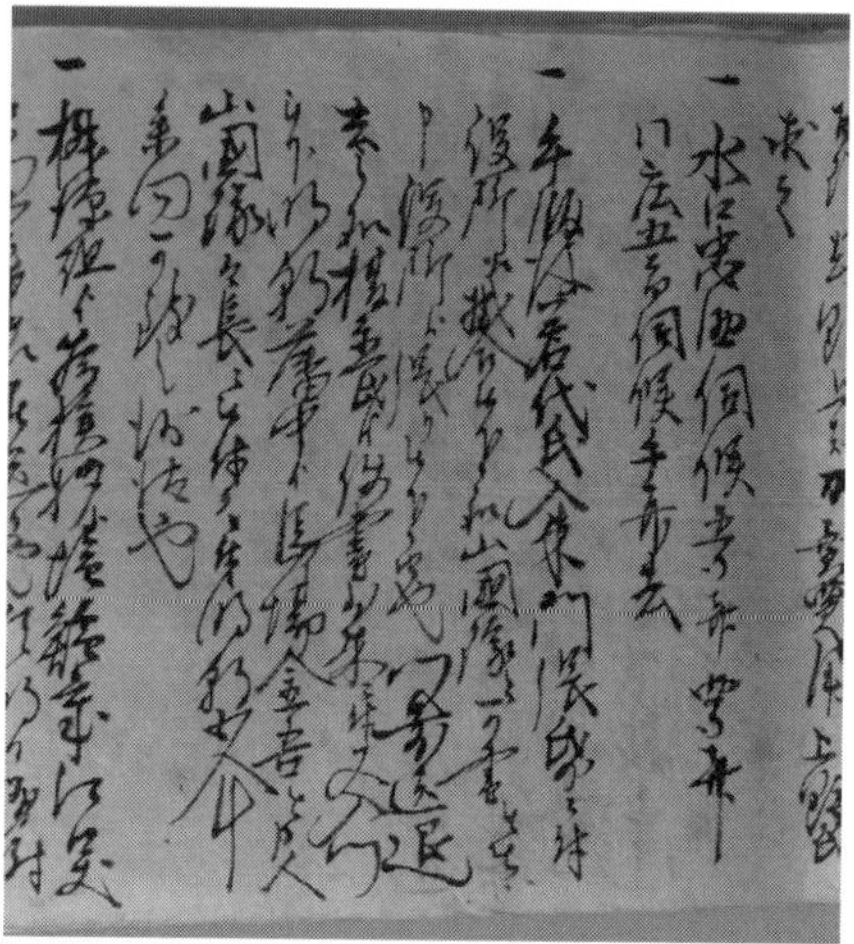

写真１　「西園寺殿出張朝廷御警衛日並記簿」（立命館大学平井嘉一郎記念図書館蔵）

しかし、「社司」だけでは、誰がいるのかよくわからず、非常に不都合である。そこで、新たな対応がなされた。「日並記」正月二十六日条中の五つ目の一つ書き【写真１】には、次のように書かれている。

一、午飯後《ごはんご》、若代氏入来《にゅうらい》、門張紙ニ付、役所江《へ》掛合被下候処《くだされそうろうところ》、山国隊と可書《かくべし》と被申《もうされ》、役所ゟ《より》張り被下候由也《くだされそうろうよしなり》

「若代」とは、農兵隊参加者の一人である水《みな》口《くち》市之進《いちのしん》の実弟で、鳥取藩御納戸役《おなんどやく》京都藩邸詰《づめ》の若代家へ養子に入っていた若代四郎左衛門《わかしろしろうざえもん》である。この若代が、門前への張り紙に関し鳥取藩側に掛け合った結果、「山国隊」と記して張り出すよう指示を受け、その旨を伝えに来たのだという。すなわち、この史料は、「山国隊」という隊名は鳥取藩により命名されたものであることを示しているのである。

「日並記」は、日々の出来事をその日のうちに書き留めたものではなく、様々な史料を参照し、後日に編集された史料である。同時代史料ではない、というのが大きな弱みであることは否定できない。しかし、岩倉命名説が具体的な根拠を欠いた説であることを踏まえると、現状では鳥取藩命名説の方がより妥当性のある説だと考えるべきであろう。

3、「山国隊」は何と読むのか

命名に引き続き、呼称の問題について考えてみたい。

一般には、「山国隊」は「やまぐにたい」と読まれている。しかし、京北地域では、「さんごくたい」と読む人が多いのだという。先に触れた『丹波山国隊史』では、地元や地元出身の京都市街地住民に「さんごくたい」の名称が広まっているのを指摘した上で、この地域の地名が「山国」と書いて「やまぐに」と読む以上、本来の名称は「やまぐにたい」であり、「さんごくたい」は誤りである、と述べている（九三九〜九四〇頁）。

右は一九六〇年代、いわゆる高度成長期の頃の話であるが、この呼称問題、実は戦前から続く長い論争であった。戦前期にこの地域で発行されていた村報『山国』の第六十七号（昭和十一年四月一日発行）には、次のような記事がある。

不見天《（ママ）》芸者に目尻を下げてやまぐに隊と改名してしまつた山国隊が今度のラジオ放送で美事に、確実に、本名さんごく隊を全国に認識せしめたことは、何よりも痛快な事であつた、女子青年団の偉大なる功績に対して敬意を表しておく（傍点は原文通り）

不見天《みずてん》（転）芸者が何のことを指しているのかは不明であるが、この記事の記者が、「やまぐにたい」の呼称が世間に広がっていることに不満を抱いているのは明確である。それゆえに、女子青年団がラジオ放送に出演した折、山国隊を「さんごくたい」と呼称したのを称賛しているのだ。昭和十年（一九三五）十二月に正仁親王《まさひと》（常陸宮《ひたちのみや》）生誕の奉祝ラジオ放送の中で山国隊軍楽が演奏されているので（坂田・吉岡二〇一四）、その時のことであろうか。

この記事をそのまま信じるのであれば、山国隊の読み方は「さんごくたい」が正しく、「やまぐにたい」は誤りだ、ということになろう。しかし、別の見解を示す史料がある。

同十一年四月二十一日付で当時の山国村村長草木克己宛に送られた葉書には、「山国隊《ヤマグニタイ》招魂祭ノ事、二十二日招魂祭ニ御招ヲ蒙リ候処、同日ハ先約有之《これあり》……御断リ旁々《かたがた》拝呈仕候《つかまつり》」（片仮名ルビは原文通り。漢字を一部現在通行体に改めた）と書かれている。差出人は、河原林檉一郎《かわらばやしていいちろう》。同志社、東京専門学校で学んだのちにベルリン大学留学、帰国後は京都法政学校（現・立命館大学）や東洋レーヨンの創設に携わった、山国村きってのインテリであるが（久保田、二〇一二）。なお、河原林の京都市街の邸宅は、現在、「西尾八ッ橋の里」として利用されている）、それよりもこの小文の内容上で重要なのは、彼が山国隊隊員の中で最後に亡くなった水口幸太郎（昭和五年没）の子息である点である。招魂祭への欠席連絡を目的とした葉書中に、わざわざ「ヤマグニタイ」とのルビをつけて送ってくるあたり、あるいは河原林は、ラジオ放送を聞いた、もしくは『山国』の記事を読んだのかもしれない。それはともかく、隊員であった父から折に触れ話を聞いていたであろう人物が、山国隊を「やまぐにたい」と呼称すべきとしていたのは重要な事実であろう。

既に昭和戦前期には、「やまぐにたい」「さんごくたい」の二つの呼称が併存していたことを見た。では、山国隊出征当時はどうであったのか。

「さんごくたい」の証拠としてしばしば参照されるのが、山国隊歌である。これは、日本最初の軍歌ともいわれるトコトンヤレ節（宮さん宮さん）の旋律を用いた替え歌で、第二節に「威風凛々山国隊の戦の仕方を知らないか」との歌詞が当てられているのであるが、この歌詞の中の「山国隊」は「さんごくたい」と読んで歌うのが常であるという（水口、一九六六。奥中、二〇〇五）。藤野斎の『征東日誌』から、出征中に二回この隊歌を歌ったことが確認できる（藤野、一九八〇）。

しかし、『征東日誌』は明治二十年代後半にまとめられたものであり、この二回の記述が本当に正しいのかどうかは注意が必要である。何より、「さんごくたい」と読んで歌っていたのかどうかはわからない。現状の隊歌から出征当時の呼称を推定するのは危険である。

そこで、当時の呼称をあきらかにする上で何か有用な史料がないかどうか探していたところ、【写真2】の史料に出会えた。

明治元辰年《たつどし》十二月吉日　下立売《しもたちうり》通《どおり》大宮《おおみや》東《ひがし》江《へ》入《いる》丁《ちょう》

因州《いんしゅう》様三国隊　二文字屋《にもんじや》嘉七《かしち》

御用諸紙《ごようしょし》水引《みずひき》之《の》通《とおり》

御役人中様

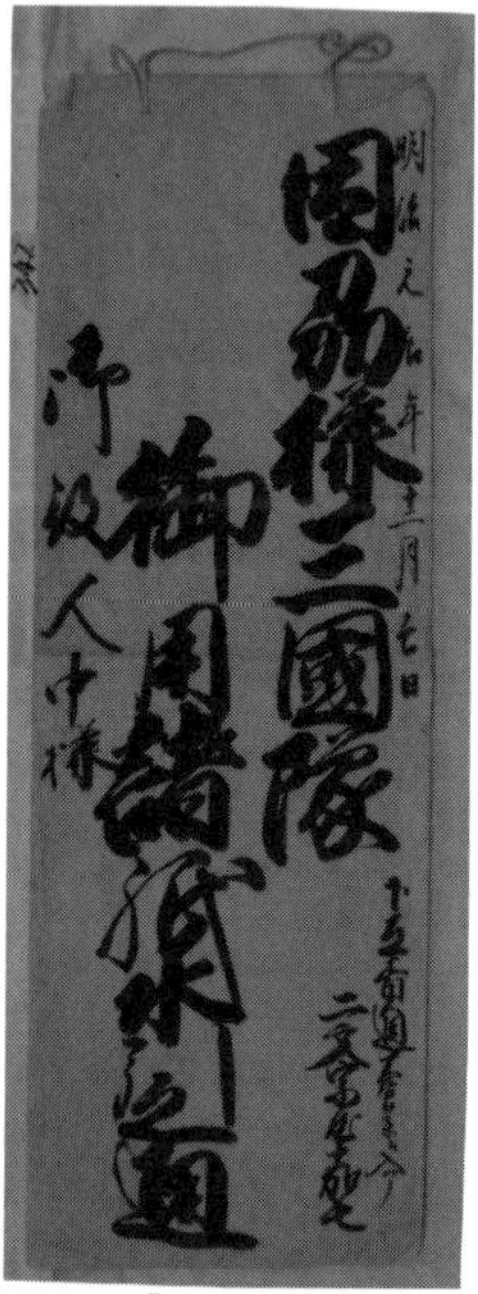

写真２「因州様三国隊御用諸紙水引之通」（「辻健家文書」のうち）

この史料は、現代でいう領収書のようなもので、店の側（この場合、二文字屋嘉七）が購入した商品（この場合、水引などの紙類）とその金額をまとめて記載し、そこに購入者（この場合、山国隊）の側が支払った分をやはり店の側が記載・押印して購入者側に渡したものである。しかし、この小文の文脈からして大事なのは、そのような史料の中身ではなく、右に文字を起こした表題「因州様三国隊御用諸紙水引之通」である。

なぜ二文字屋嘉七は、山国隊を「三国隊」と記したのか。それは、この店の人々と隊員達との口頭でのやりとり、あるいは、巷間で耳にする隊の呼称が「さんごくたい」だったから以外には考えられない。慶応四年（明治元年）の時点で、「山国隊」は間違いなく「さんごくたい」と呼称されていたのである。

もちろん、右の事実は、山国隊を「やまぐにたい」とするのは誤りだ、ということまでをいえるものではない。二つの呼称が併用されていた可能性も当然考えられる。しかし、地元の人々にいまなお使われ続けている「さんごくたい」の呼称は、歴史的な根拠を有するものであることだけは強調しておきたい。

4、地域の歴史をより豊かなものとしていくために

以上、小文では、山国隊という名称の由来と呼称のあり方について検討してきた。

冒頭でも述べた通り、ここで記したことは、二〇二〇年現在の段階で出会えた史料からあきらかにできたことを述べたものにすぎない。今後、調査・研究が進展する中で、隊の名称の由来についてまた新たな説が出てきたり、「やまぐにたい」「さんごくたい」いずれかの呼称が正しいの

かがあきらかになることもあるかもしれない。大事なことは、通説を覆したり、新たな説が提示される場合、その多くは新たな史料の発見が契機となっていることである。地域で史料を守り、保存していくことが、地域の歴史をより豊かなものにしていくのだ。小文が、そのことを示す一例となっていれば幸いである。

参考文献

・水口民次郎『丹波山国隊史』（山国護国神社、一九六六年）
・藤野斎著／仲村研・宇佐美英機編『征東日誌』（国書刊行会、一九八〇年）
・仲村研「丹波山国農兵隊陣中日記について」（『立命館文学』五〇九号、一九八八年）
・京都府教育庁指導部文化財保護課編『京都の文化財』第二十一集（京都府教育委員会、二〇〇四年）
・奥中康人「口伝の行進曲―維新期における山国隊の西洋ドラム奏法受容とその継承―」（『東洋音楽研究』七〇号、二〇〇五年）
・久保田謙次「京都法政学校創立事務所―その場所と人をめぐって―」（『立命館大学百年史紀要』二〇号、二〇一二年）
・坂田聡・吉岡拓『民衆と天皇』（高志書院、二〇一四年）

史料
・「西園寺殿出張朝廷御警衛日並記簿」立命館大学平井嘉一郎記念図書館所蔵
・「因州様三国隊御用諸紙水引之通」（「辻健家文書」）
・草木克己宛河原林樫一郎葉書（「山国隊関係書類綴」のうち。「山国護国神社所蔵文書」）

※「辻健家文書」「山国護国神社所蔵文書」の利用については、山国荘調査団に照会のこと。

第４部　教材として役立つ地域資料

16

絵葉書は地域史を語る

写真絵葉書にみる風景へのまなざし
―一九三〇年代の土浦と創造された景観―

萩谷良太

対象地域　茨城

1、絵葉書の発行年代を知る

一九〇〇（明治三十三）年に私製葉書の発行が許可されて以来、これまで数多くの絵葉書がつくられてきた。とくに戦前の絵葉書は、観光地の土産品に限らず、災害や事件の報道、学校行事の記録、建造物の落成記念、商店の宣伝、美女のポートレートなど幅広く利用されていた。

絵葉書は宛名面の書式から、その発行時期をある程度絞り込むことができる。【図1】は絵葉書の宛名面の変遷を示したものである。当初は文章を書きこむ通信欄が設けられていなかった（書式①）が、一九〇七年三月からは三分の一以内（書式②）、一九一八年三月からは二分の一以内（書式③）に通信欄が設けられた。さらに、宛名面上部の「郵便はがき」の表示も当初は「はかき」であったが、一九三三年二月以降は「はがき」と濁音になる（書式④）。宛名面の変遷をもとにして、絵葉書の発行時期を大まかに把握できる。さらに写真の絵葉書の場合は、被写体から撮影年

	年代	通信欄	上記記載
①	1900年10月～1907年3月	無　し	はかき
②	1907年3月～1918年3月	3分の1	
③	1918年3月～1933年2月	2分の1	
④	1933年2月～1945年8月		はがき

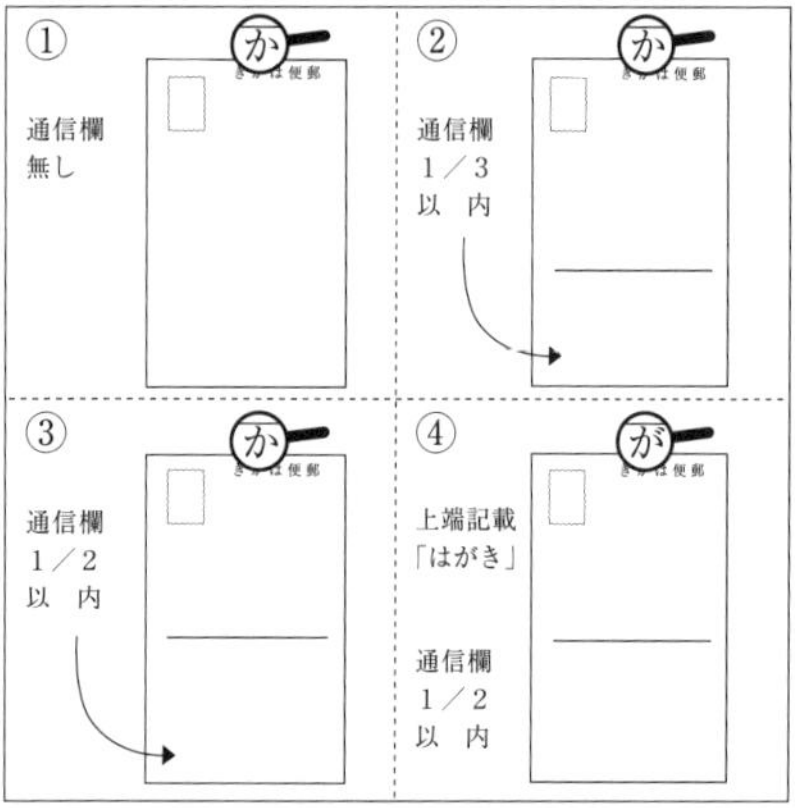

図１　絵葉書の書式の変遷（浦川2004を一部改変）

代を追及することで時期を特定できる。絵葉書が実際に使用されれば消印や書面中の年月日などから年代を知ることも可能である（ただし、撮影・使用された年代が、発行時期に一致するとは限らないので注意が必要である。後述するように過去に発行された絵葉書を復刻して発行された場合もあるし、手元に保管しておいた絵葉書を後年になって使用した可能性もあるからだ）。様々な検証により発行時期が特定できれば、写真絵葉書は地域の近代史の一コマを示す貴重な歴史資料となり得る。

そして、写真絵葉書を歴史資料として取り扱う際には、発行された目的もあわせて考えることが肝要である。多くの写真絵葉書は一葉ずつバラバラに残存しているが、絵葉書は複数枚をセットにして発行されたものが多い。セット関係にある絵葉書を見つけて再構成することにより、発行された意図を考察することができる。以下では、茨城県土浦町（現土浦市）の桜川の風景を扱っ

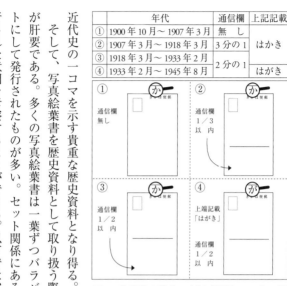

た写真絵葉書を素材にして、絵葉書から地域史の一端がどのように読みとれるのかを紹介してみたい。

2、花もないのに桜川

桜川は鏡ヶ池（現茨城県桜川市）に源を発し、筑波山の西側から南側をまわり込むように流れ、土浦で霞ヶ浦《かすみがうら》に注ぎこむ全長六三キロメートルの河川である。桜川の名称は、上流が山桜の名所であったことに由来する。平安時代に紀貫之《きのつらゆき》が「つねよりも春べになれば桜川　波の花こそ間なくよすらめ」（『後撰和歌集』）と詠んだように、川面に山桜の花びらが隙間なく寄せる美しい場所として知られていた。また、上流部の磯部《いそべ》（現桜川市磯部）は、狂女となった母が生き別れた我が子と再会を果たす世阿弥《ぜあみ》の謡曲「桜川」の舞台としても著名である。一九二四（大正十三）年にこの地の桜は、国の名勝に指定されている。

一方、最下流に位置する土浦では、桜と川を結びつける風景は無かった。幕末の土浦には、「花もないのに桜川、水もないのに荒川沖」という里謡があった（『土浦郷土読本』、一九四〇年発行）。花が咲くわけでもないのに桜川と呼ばれ、水際に位置するわけでもないのに荒川沖の地名があることをうたっている。往時の桜川を象徴する絵葉書が「（土浦名所）桜川より筑波山の遠望」（【写真1】）である。筑波山に向かい流れに棹をさす船頭が帆船で桜川をのぼっていく様子が映る。

写真１　絵葉書（土浦名所）桜川より筑波山の遠望

この絵葉書の書式は③であり、一九一八～三三年の発行となる。ただし、この写真を注意深くみると、下部の余白中央に付されたタイトルの他に、画面右下の水面に「常陸《ひたち》名所桜川」という別のタイトルがあることに気がつく。写真絵葉書では発行当初のそれに手を加えて再版することがみられた。【写真１】の絵葉書も「常陸名所桜川」と題した当初のそれを、「土浦名所」と新たなタイトルをつけて発行し直したものであろう。したがって、本来は書式③よりも古い時期に発行された可能性も考えられる。

この絵葉書でもう一点注目されるのは画面左下部に記された和歌である。先に紹介した紀貫之が詠んだ桜川の一首だ。桜川のイメージを連想させるためにこの和歌を添えたのであろう。この一葉は土浦の桜川には美しい桜の風景がなかったことを示している。

3、名実ともに真の桜川

ところが、である。一九三〇年代の土浦の桜川堤防には、延々と連なる壮大な桜並木が出現していた。明治時代末、堤防のそばにあった道祖神社《どうそ》（現土浦市千束町《せんぞく》）に、妻の脚の病気平癒を祈願した者があり、その回復に感謝して桜の苗木を寄進、これを地元の人々が堤防に植えたのが始まりであった。堤防の桜は、大正天皇と昭和天皇の即位記念に際しても植え継がれていった。道祖神社境内の「植桜碑」（一九三一年建立）と、その下流の堤防脇にある「御大典記念」碑（一九二八年建立）には、寄進者・功労者名とともに、桜川堤の桜が誕生した経緯が刻まれている。

当時、植えられたのはソメイヨシノであったようだ。ソメイヨシノは成長するのが早く、景観整備の上で広く用いられた品種だった。これらの桜が全盛期を迎えたのが一九三〇年代であり、土浦桜川堤は長大な桜並木に変わった。和歌や謡曲の中にしかなかった桜川のイメージが、実態のそれとして眼前に現れ、名実ともに真の桜川が誕生したのだ。一九三五（昭和十）年頃に発行された着色の写真絵葉書では、「桜川の名に負う花の新名所」と紹介されている。

4、遊覧都市土浦

ここで一九三〇年代の土浦についてみておきたい。江戸時代の土浦は譜代大名土屋家九万五〇〇〇石の城下町であり、霞ヶ浦・利根川の水運により発展し、近代以降も茨城県南部の

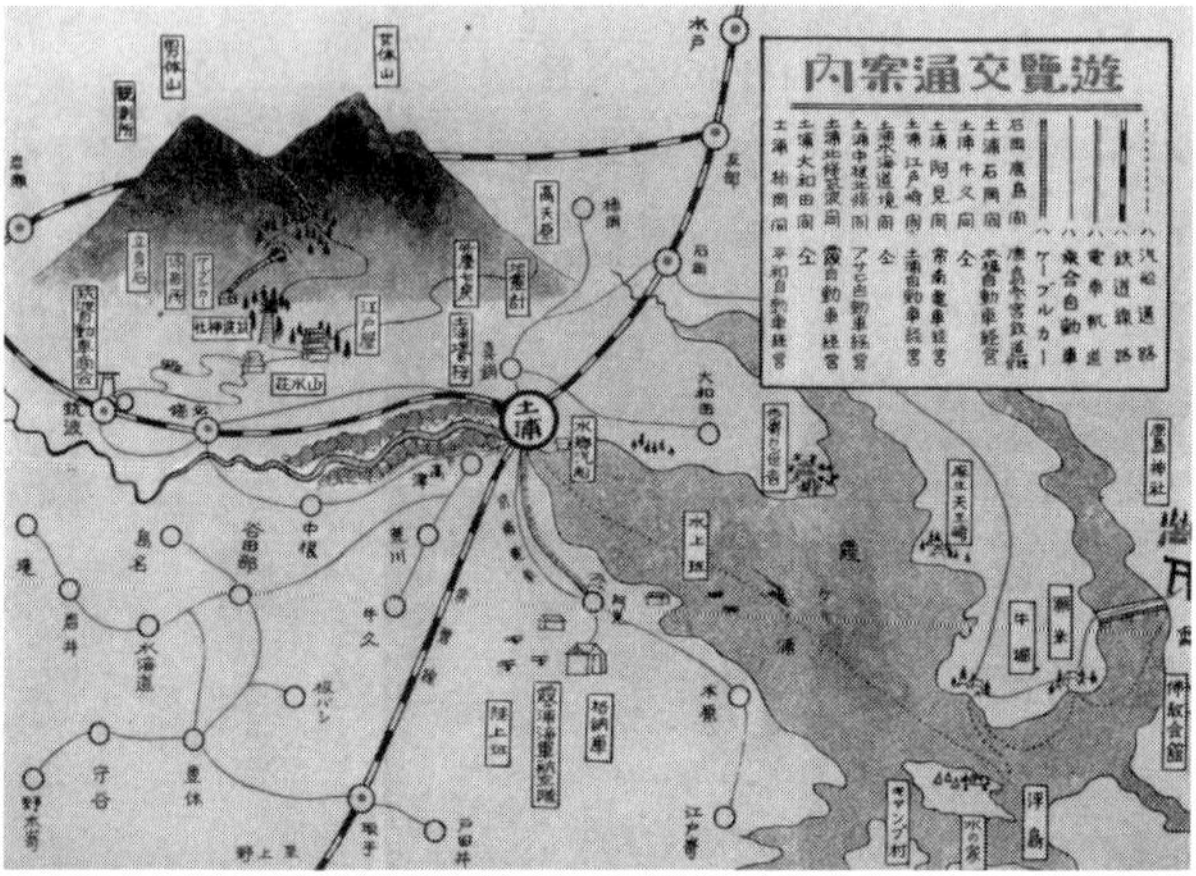

写真２　遊覧交通案内（『土浦商工会誌』1932 年）

商都として栄えた。明治時代中期に常磐《じょうばん》線が開通すると物資輸送の主体は鉄道にかわったが、潮来《いたこ》や鹿島などと湖上を結んだ水郷《すいごう》汽船（一九二一年設立）は霞ヶ浦遊覧の花形となった。また、常磐線土浦駅からは一九一八年に敷設された筑波鉄道が桜川と並行するような形で伸び、筑波山への登山客の足となっていた。そして、大正時代に霞ヶ浦湖畔の阿見《あみ》村（現阿見町）に霞ヶ浦海軍航空隊の設置をみたことで、土浦は航空隊への玄関口ともなった。一九二九年には、世界一周の途次でドイツの飛行船ツェッペリン号が航空隊の格納庫に停泊するため立ち寄っており、多くの見物客がここに押し寄せた。霞ヶ浦の舟遊び・筑波山登山・航空隊の見学など、周辺地域の観光資源を結び付ける結節点にあったのが土浦だった。一九三二年に土浦商工会がまとめた『土浦商工会誌』には「遊覧交通案内」の挿絵がある（【写真２】）。

土浦は霞ヶ浦・筑波山の中間に描かれていて、これらの観光地や海軍航空隊と鉄道・汽船・バスなどで結ばれているのがよく分かる。そして、この図の中でひと際目をひく形でピンク色に彩色されているのが、桜川に沿ってのびる桜並木だ。

この時期の土浦は、東京の人々（都人士《とじんし》）を呼び込むための積極的な宣伝活動を行っていた。先の『土浦商工会誌』のなかでは、不況にあえぐ土浦町の現状が述べられた後、「資本のない不況打開策は遊覧都市へと転向せしめている。商工会の桜川の桜の宣伝がそれだ。花火大会の計画がそれだ、然し決して悪い事じゃない、更に筑波山登山、霞ヶ浦舟遊、航空隊見学等を利用して外来客の吸引に努むべきだ、競馬場の新設などもよい、桜川の桜も増植すべきだ、躑躅《つつじ》もよい、藤、あやめ等も悪くはない」と記述している。そして、鉄道網の発達とツーリズムの盛行をうけて「遊覧都市」を志向していた土浦が、その地域資源を前面に打ち出していくときに見出したのが「水郷」という景観要素であった。昭和初期に選定された「日本八景二十五勝」で、「利根川」が二十五勝のうちに選ばれ、「水郷」のイメージが人々に浸透したこともその背景にあったのであろう。「水郷土浦」は桜川の花見を楽しむひとつのキーワードとなっていく。

5、水郷らしい花見

一九三〇年代、桜川堤では花見を楽しむための景観整備が行われていく。たとえば、一九三二

写真３　絵葉書「土浦堤の桜」（船から花見を楽しむ人々）

年には護岸工事にあわせて桜川堤防に臨水遊歩路が設置された。水際への遊歩路の新設により単調だった堤の趣は面目を一新、堤防上の混雑が解消された。また堤防のり面への売店の出店を規制し、花間には夜桜見物のための雪洞《ぼんぼり》が灯された。翌年には対岸へ渡るための新しい橋が架けられた。「土浦町桜川へ匂町から対岸桜島町へ架設された『匂橋《におい ばし》』は桜花に魁《さきがけ》てこの程竣工、来る二十日開通式をあげることとなった。風雅な木橋だけに水郷土浦の風情を一層濃くしその名も桜川に匂橋、いかにも春らしい感じだ」（「いはらき」新聞、一九三三年三月十九日）。匂橋は前後して架けられた近代的なコンクリート橋とは対照をなす「風雅な木橋」であり、「水郷土浦の風情を一層濃く」するものとふれこみがなされている。この時期の花見では、貸しボートや屋形船により水上から楽しむことも推奨された。夜には雪洞に灯がともされ、水面に映る景色が

（匂橋のたもと）

（匂橋上流の遊覧船乗り場）

（貸しボート）

（土浦橋と臨水遊歩路）

写真４　絵葉書「土浦堤の桜」

見どころとなった。

　こうして水郷らしさを演出された土浦桜川堤の花見のスタイルは、写真絵葉書という形で切り取られ固定化されていく。この時期に発行された写真絵葉書には、匂橋の周辺で花見を楽しむ様子を被写体としたものが目立つ（【写真３、４】）。土浦商工会などではポスターやリーフレットとともに、絵葉書を利用した宣伝活動を展開したが、そこに採用された写真は水郷らしさを意識したものであった。近代に創られた水郷土浦での花見の光景は、東京や近県で宣伝されることにより、土浦の風物詩として各地に流布していくのである。

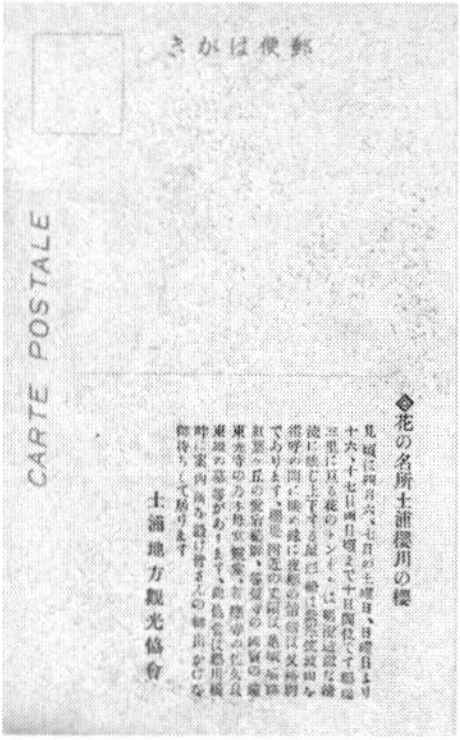

写真５　案内絵葉書
（右：宛名面、上：画面）

6、流通する地域の景観

「案内絵葉書」と呼ばれるものがある。【写真５】の絵葉書（書式④を示す）は土浦地方観光協会が作成したものである。「花の名所土浦桜川の桜」とのタイトルで、「桜堤三里に亘る花のトンネルは明澄透徹《めいちょうとうてつ》な清流に映じ、上下する屋形船は紫峰《しほう》筑波山を指呼の間に眺め殊《こと》に夜桜の情緒は又格別であります」と宣伝されている。写真は匂橋手前の貸しボート屋付近と雪洞が灯された夜桜の桜並木である。水郷土浦を象徴するお花見スポットが切り取られている。

一九三〇年代の土浦では、桜川の花見の他でも水郷を意識した景観整備が行われた。たとえば、江戸時代以来の河岸である川口川では一九三五年に護岸工事が施され、柳を植えて風致を整え、「水の公園」と称されるようになった。同じ年、土浦城址では廃城後に埋められていた堀の一部を再掘削して土塁とともに造成、菖蒲《あやめ》が咲くひょうたん

水の公園川口町通りを望む

土浦亀城公園の一部

絵葉書セットの袋

桜川の桜と土浦橋の橋畔

土浦駅前より大和町通を望む

土浦警察本署の全景

亀城通り祇園町の一部

土浦市役所の全景

本町銀座豊島百貨店前通り

写真６　絵葉書セット「空都　水郷の土浦」

池をつくり、水郷らしい公園にあらためた。霞ヶ浦や海軍航空隊への玄関口ともなる土浦駅舎は、一九三六年に建て替えられてモダンな軍艦型の建物となった。これらの新たな土浦名所もまた写真絵葉書として流通する。

一九四〇年、土浦町は真鍋《まなべ》町との対等合併をして土浦市が誕生した。市制施行と皇紀二千六百年を記念して発行された絵葉書セットは「空都　水郷の土浦」と題された（【写真6】）。そこには近代的な街並みや市役所庁舎とともに、川口河岸や亀城公園の池、そして桜川の桜の写真がみられ、水辺の環境に調和するかたちで創造された近代都市土浦の姿をみることができる。

7、絵葉書の変化を読みとく

写真絵葉書の年代を比定し、発行された絵葉書セットの内容を把握すること、そしていつの時期に地域のどのような姿が取り上げられたのかを考えることで、絵葉書は地域史を語る資料となり得る。絵葉書により切り取られた景観は固定化されて地域を象徴するものとなり、流通することで人々に広く共有されていった。歴史資料の観点でこれらの写真絵葉書を読み解くことによって、地域の中でメディアとしての絵葉書が果たした役割と、それをもって地域の姿がどのように形作られていったのかをたどることができる。絵葉書は地域の「来《こ》し方」を考える上でとても魅力的な資料なのだ。

ところで、写真絵葉書の変遷からは、日本人の風景の捉え方の変化も垣間見える。写真が登場する以前、人々は和歌や謡曲などの文学や言葉を手掛かりに風景を想起していた。かつての土浦の桜川の写真絵葉書（【写真１】）でも和歌を通して情景を連想させていたし、「旧城の暮雪」「霞か浦秋月」など「土浦八景」をもとにした絵葉書セット（書式②を示す）もみられた。文学的な表現から風景を想起し、景観を愛《め》でる感性が、古い時期の写真絵葉書にはまだ残存していたのである。こうした風景の捉え方は、デザインされた景観を視認させる桜川堤の桜の写真絵葉書とは明らかに異なっている。写真絵葉書の中には、日本人の風景に対する「まなざし」の変化も写りこんでいる。

参考文献

・浦川和也「日本の『絵葉書文化』の諸相―絵葉書の資料的価値と近代日本人の意識―」（『研究紀要』第一〇集、佐賀県立名護屋城博物館発行、二〇〇四年）
・佐藤健二「近代日本の風景意識」『〈景観〉を再考する』（青弓社、二〇〇四年）
・萩谷良太「『名所絵葉書』と郷土へのまなざし―地域博物館所蔵絵葉書の整理にむけて―」（『土浦市立博物館紀要』第一九号、二〇〇九年）
・土浦市立博物館『絵葉書にみる土浦』（展示図録、二〇一〇年）

〔付記〕本章掲載の写真はすべて土浦市立博物館所蔵のものである。

17　文書史料がなくてもわかる　筆子塚から読み解く庶民教育

工藤航平

対象地域

1、よくわからない庶民教育の実態

日本のすべての人――最上層から最下層まであらゆる階級の男、女、子供――は、紙と筆と墨［矢立《やたて》］を携帯しているか、肌身離さずもっている。すべての人が読み書きの教育をうけている。また、下層階級の人びとさえも書く習慣があり、手紙による意志伝達は、わが国におけるよりも広くおこなわれている。

これは、弘化五年（一八四八）にアメリカの捕鯨船より日本へ密入国した、ラナルド・マクドナルドの記録である。ほかの訪日外国人も、彼と同じような感想を述べている。

近年、庶民教育から高等教育まで江戸時代を通じて構築された教育体制に対し、明治以降の西洋文化の受容や近代化を支えた知識・技術の内在的発展の基盤になったとして、高く評価する傾向にあるといえよう。

一方で、全国津々浦々まで普及したといわれ、庶民教育の場となった手習塾《てならいじゅく》（寺子屋）について、どのくらいの数が存在していたのかという根本的なことでさえ、きちんと把握できていないというのが現状なのである。

2、筆子塚とは？

［1］師弟は三世の契
筆子塚《ふでこづか》（【写真１】）とは、一言でいえば、手習塾で学んだ生徒が建てた師匠のお墓である。筆子とは、手習塾で学ぶ生徒のこと。塚とは、一里塚や富士塚など土を小高く盛り上げたものを想像する人も多いかと思うが、ここでは墓石を指す。
そのほとんどは、竿石《さおいし》正面に師匠の戒名や「○○先生之墓」、側面や裏面に俗名や没年が刻まれている。そして、台石には「筆子中」「門弟中」などの建立者名（「中」は〝連中〟のように〝なかまうち〟を表す語）が記されており、それゆえ「筆子塚」と呼ばれている。
なかには辞世の句や、師匠の履歴・功績をまとめた碑文、さらには塚を建てた筆子たちの出身村や氏名が刻字されていることもある。一見してわかるものから、側面や後部に小さく刻まれ、じっくり見ないとそれとわからないものまでさまざまである。

なお、「筆子塚」という呼称は、江戸時代の人が使っていた用語ではない。群馬県勢多《せた》郡富士見村（現前橋市）の船津《ふなつ》伝次平《でんじべい》が幕末期に開設した九十九庵《つくもあん》という手習塾の遺構のなかの塚を、地域の人びとが「筆子塚」と呼んでいたことに由来するとされ、のちに専門書で使用されたために普及・定着したものである。

写真1　筆子塚

呼称については、「筆子塚」とすると生徒の筆子が祀られていると理解されてしまうため、「師匠塚」と呼ぶのが相応しいのではないかという見解も出されている。もっともな意見であるが、一般的には「筆子塚」が浸透しているため、ここでも「筆子塚」としておく。

次の一文は、江戸時代に手習塾で学んだ経験をもつ埼玉県比企《ひき》郡小川町の古老に対して行われた、大正期の聞き取りをもとにした調査報告である。

師弟間の関係の頗《すこぶ》る良好なりしを知るに足るべく、中には父子は一世の契《ちぎり》、師弟は三世の契など称して、師に満腔《まんこう》の敬意を払ひ、親に話すのを憚《はばか》ることさへ、師には胸奥《きょうおう》を披《ひら》きて教えを請《こ》ひたるものがある。その他児玉郡東児玉村（現埼玉県児玉《こだま》郡美里《みさと》町）の師匠春田坦斎《はるたたんさい》の如《ごと》き、同郡高柳村（現埼玉県本庄《ほんじょう》市）の師匠岡登敬山《おかのぼりけいざん》の如き、その碑がその弟子の建つる所に係《かか》るものも尠《すくな》くないのを以《もっ》てしても、これを見るに難くない。

筆子は、読み書き・そろばんなどの教科教育だけでなく、日常の躾《しつけ》から礼儀作法に至るまで人として生きていく上で必要なことの指導を師匠より受けた。そして、筆子は師匠を両親と同等あるいはそれ以上に敬い、師弟関係は終生のものとなっていたのである。

師匠が亡くなると、その遺徳や人柄を偲《しの》ぶ筆子たちの手によって、生前に受けた指導への感謝と供養の念を込めた墓や塔などが建立されたのである。墓石以外にも、灯籠《とうろう》、師匠の功績を刻んだ顕彰碑、使い古した筆を納めた筆塚、学問の神である菅原道真《すがわらのみちざね》を祀った天満宮祠などのさまざまな石造物が建立され、それらを広く含んで「筆子塚」「筆子塚等」という場合もある。

近代以降、元師匠や私塾師匠で建立される者もいるが、小学校教員で筆子塚を建立された者はほとんどみられない。小学校の普及と軌を一にするように、筆子塚も姿を消していったのである。

［2］師匠の存在を示す貴重な非文献資料

手習塾については、江戸時代において全国的・網羅的に調査されたことはなく、明治以降、政府や府県、研究者によって調査・報告されるまで待たなければならなかった。

文部省編纂の『日本教育史資料』や、東京府へ提出された「開学願書」などは、所在・師匠名・身分・手習塾数・教科・開業・廃業時期等を記しており、現在でも庶民教育の一端を窺《うかが》うことのできる貴重な資料である。しかし、その記載内容が幕末維新期にほぼ限られ、しかも脱漏《だつろう》や調査報告の精粗が大きく、十分なものではない。

全国に存在した手習塾の総数を知ることのできる資料としては、明治十六年（一八八三）に文部省が編纂した『日本教育史資料』がある。この資料によると、全国に約六五〇〇の私塾と、一万六五六〇の手習塾が存在していたことが確認できる。この数値をみると、膨大な数の塾の存在が把握できていると思われるかもしれないが、十分に実態を示したものとはいえない。

そこで、筆子塚の登場となる。例えば、千葉県を事例にみると、文部省編『日本教育史資料』では一一三名の師匠がリストアップされたが、川崎喜久男氏の長年にわたる筆子塚の悉皆《しっかい》調査によって、三三一〇名もの師匠の存在が確認されている。

明治期に政府・県の調査が実施されなかった埼玉県域では、昭和十六年（一九四一）に行われた調査をもとに再調査した結果を、『埼玉県教育史』にまとめている。同教育史で私塾二件、手習塾三件が紹介された上尾《あげお》市では、市史編纂事業における石造物調査の一環として、筆子塚等の調査が行われた。この結果、従来の数値を大きく上回る四一基もの筆子塚（師匠四五名）が発見された。

筆子塚の存在が広く知られるようになると、自治体や研究者による調査がなされ、現在では全国各地で膨大な量の筆子塚が発見・紹介されている。その結果、それまでの何倍、何十倍という師匠の存在が明らかになり、より詳細な庶民教育の実態解明へと繋がっているのである。

江戸時代の庶民教育は、現在と違って義務教育ではないこともあり、記録として残りにくく、残っていても手習塾総数に比してごくわずかである。地域に残された文書史料をみても、筆子側に手本など学習関連の史料が残されたり、幾つかの伝承が伝わる程度がほとんどである。このような断片的な史料のみでは、当時の庶民教育の実態を知ることは難しい。

一方、筆子塚は、墓石建立が一般化する江戸時代中期以降、江戸時代を通じて建立される。つまり、全国的かつ通時的に師匠の存在を確認することができるのである。ただ、墓石建立には経済的その他の制約もあり、全ての師匠が筆子塚を建立されたわけではなく、ほぼ全員が墓石を建立される住職の筆子塚が多いという点に注意を要する。

文書史料が無いことと、庶民教育が存在しなかったことはイコールではない。文書史料が残存していなくても、地域の庶民教育の存在を知ることのできる筆子塚は、単に〝所在を示すモノ資料〟ではなく、碑銘などの分析を駆使することで〝庶民教育の実態を読み解く歴史資料〟として活用することが可能だといえる。

3、筆子塚からわかること

［1］生徒の呼称

手習塾で学んだ生徒は、江戸時代には何と呼ばれていたのであろうか。自治体史や歴史書では、江戸時代の庶民教育を行う場を「寺子屋」もしくは「寺小屋」、そこで学ぶ生徒を「寺子」と称しているものがほとんどであり、この呼称が広く定着しているといえる。

現在の千葉県域の建立者名をみると、「筆子《ふでこ》」が最も多く、「筆弟《ひってい》」「筆道門人《ひつどうもんじん》」「筆童子《ひつどうじ》」「手《て》習弟子《ならいでし》」「手跡門弟《しゅせきもんてい》」「書法弟子《しょほうでし》」などがみられる。手習いを主に学ぶことから、「筆」や「書」の付く呼び方が多いことがわかる。ただ、地域や時期でまとまってはおらず、個々の塾や各筆子集団で決めていたと考えられる。また、東日本地域では、千葉県と同様の呼称が使用されていたことが各地の調査成果からわかっている。

手習い以外を教授する師匠も多く存在したが、それら師匠の筆子塚建立者の一例を示すと、裁縫では「針子《はりこ》」や「縫子《ぬいこ》」、漢学では「素読弟《そどくてい》」、算術では「書算門弟《しょさんもんてい》」、女子教育では「女弟子《おんなでし》」

といった名称がみられる。江戸時代特有ともいえる師弟関係は、手習い以外にも広くみられ、「〇〇中」と称する学習を通じた社会集団が新たな勢力となっていたことが窺える。

では、東日本以外では、どのように呼ばれていたのであろうか。東日本に近い静岡県や愛知県でも東日本と同様の傾向がみられるが、三重県より西になると様相が変わる。

例えば、四日市《よっかいち》市では八基のうち「門人」「門弟」「弟子」四基、「寺子」一基、伊賀《いが》市では「寺子」一基が確認されている。大阪府でも、富田林《とんだばやし》市では「門弟」一一基、「門人」二基、「寺子」一基、「弟子」三基、「文字」一基、羽曳野《はびきの》市では「門弟」四基、「寺子」一基となっている。

つまり、「筆子」をはじめ「筆」を付ける名称は、三重県と愛知県とを境にして東側で使用され、それより西側では「門人」や「寺子」と呼ばれていたように、地域ごとに呼称の違うことがわかる。

このような細かな情報は、近代以降に実施された政府・府県や研究者による統計的・画一的な調査や、断片的な文書史料からは知ることができず、筆子塚ならではの成果といえる。

［２］錯綜する入門圏

筆子塚の利点の一つとして、個別の手習塾しか知ることのできない文書史料と違い、地域に存在した手習塾を〝面〟として捉えることができる。そこで、筆子の出身村が刻まれた筆子塚を手がかりに、当時の通学圏の実態をみてみたい。

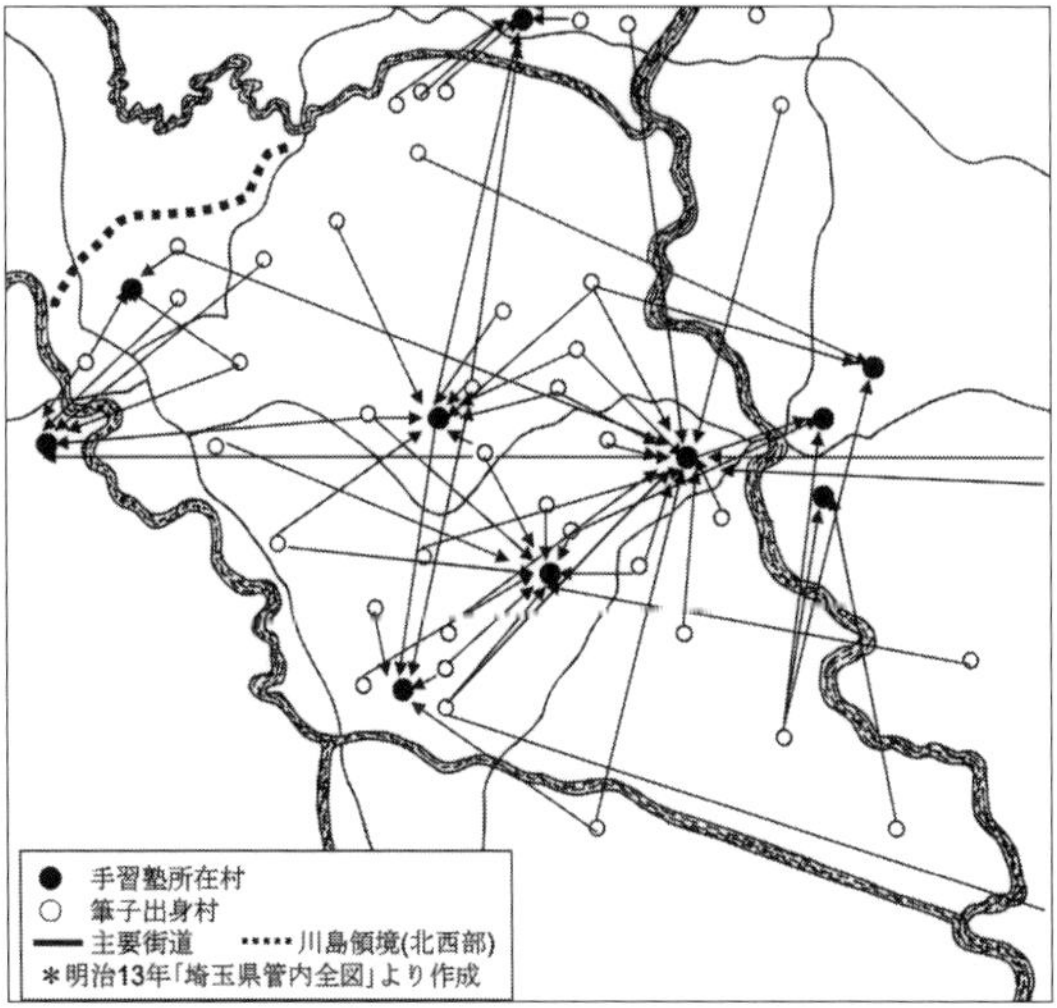

図１　川島領筆子通学圏

【図1】は、幕末期に武蔵国《むさしのくに》比企《ひき》郡《ぐん》川島《かわじま》領《りょう》（現埼玉県比企郡川島町）に存在した手習塾へ、どの村から筆子が通学していたかを図示したものである。九ケ村・一五名の師匠の事例であるが、一見して矢印が錯綜《さくそう》していることがわかる。また、近隣村出身で占められる塾や、遠方からも多くの筆子が通う塾など、入塾範囲もさまざまである。つまり、現在の学区制度のように、整然と近くの手習塾へ通学するという単純なものではなかった。複数の手習塾を調べることができる筆子塚だからこそわかったことである。

この錯綜の要因としては、近隣に手習塾が無い村では必然的に近隣もしくは遠方の手習塾へ通わなければならいこと、近隣に手習塾が有る村では筆子側による手習塾の選択が行われたということがあげられる。どちらにしろ、少なからず筆子側の主体性にもとづく選択が存在していたといえる。

では、なぜ選択が行われたのであろうか。この地域の手習塾についてみると、師匠は住職や村役人、元武士や一般村民などさまざまな人物がおり、その教育内容も手習いのほか、礼儀作法、算術、武芸、和歌、漢学など多様であった。また、貴重な労働力として農作業に従事した子どものため、農閑期や夜間に開いた塾も複数存在していた。

共通する基礎教育のほかに、師匠の個性、教育内容、経営形態において特色をもった手習塾がこの地域に多く存在していたのである。この多様さは、師匠の専門性によるところもあるが、ここでは階層・家業・教育意識において一様でない筆子側のさまざまな学習要求と、それをもとにした師匠側の他塾との差別化の結果と考える。

手習塾での教育では、地域社会で生活する上で欠かすことのできない基本的な礼儀作法と、地域特有の社会的環境に対応した文字教育が行われた。統一的な学習カリキュラムや達成目標のなかった時代、人びとは、家・個人で異なる環境のなかで生きていくために必要な知識の習得を手習塾に求めたのである。多様な手習塾の存在と錯綜する通学圏は、地域に暮らすさまざまな身分・階層・家業の学習要求を満たすことのできる教育体制を、地域全体で支えていたことを物語るものであった。

4、危機に瀕する筆子塚

江戸時代の庶民教育の実態を知ることのできる貴重な資料である筆子塚だが、現在、大きな危機に瀕《ひん》している。

筆子塚は石造物であるがゆえに、風化による文字の摩滅や墓石自体の破損などがみられる。また、改修や移転に伴う墓地全体の整備、それを機に古い墓石を墓域の隅や無縁墓へまとめられてしまっているところも多い。特に、棹石部分のみがコンクリートで固められ、建立者が刻まれている台石部分が地中に埋められたり、処分されているものも少なくない。また、墓石各部がバラバラとなり、復元不可能な状態で、被葬者や建立年代などの情報が確認できないものもある。

筆子塚の調査には、地域の墓地に存在する墓石一つ一つを丁寧に観察する悉皆調査が求められるため、多くの人員・時間を必要とし、たいへんな労力を伴う。そのため、自治体史の編纂を行っていても、筆子塚の調査は行われず、『日本教育史資料』等の数値を利用している自治体が大部分を占めているのが現状である。

実際に調査を行ってわかったことは、筆子塚の存在はあまり認識されておらず、筆子塚のあるお寺や自治体の文化財担当でも知らない方が多かったことである。

今後、ますます墓石の風化や処分が進んでいくことは避けられず、全てをきちんと保全することも現実的には難しい。万が一に失われた場合でも、記録として継承できるよう、悉皆調査が求められている。

参考文献

・ウィリアム・ルイス著・村上直次郎編・富田虎男訳訂『マクドナルド「日本回想記」―インディアンの見た幕末の日本―』（刀水書房、一九八一年）
・乙竹岩蔵『日本庶民教育史』（目黒書店、一九二九年）
・川崎喜久男『筆子塚研究』（多賀出版、一九九二年）
・木村政伸「『筆子塚』はどう呼ぶべきか」（『日本教育史往来』第一〇二号、一九九六年）
・工藤航平『近世蔵書文化論―地域〈知〉の形成と社会―』（勉誠出版、二〇一九年）
・工藤航平「幕末維新期にみる地域教育体勢の展開」（荒武賢一朗編『近世史研究と現代社会―歴史研究から現代社会を考える―』清文堂出版、二〇一一年）
・国立歴史民俗博物館編『筆子塚資料集成―千葉県・群馬県・神奈川県―』（国立歴史民俗博物館、二〇〇一年）
・文部省編『日本教育史資料』全九巻（文部省、一八九〇～九二年）

18

戯画で時事を伝えた国芳

お江戸のキャラクター
――幕末風刺画の「判じ物」から「戯画物」への転換――

富澤達三

対象地域

1、歌川国芳の「判じ物」が大当たり

［1］「源頼光公館土蜘作妖怪図」

水野《みずの》忠邦《ただくに》による天保改革（一八三〇〜四三）では、株仲間《かぶなかま》解散《かいさん》・貨幣改鋳・人返令《ひとがえしれい》などの経済政策、寄席や歌舞伎など娯楽の制限や奢侈《しゃし》禁止令が出された。お江戸の名物であった錦絵（多色摺りの浮世絵版画）もぜいたく品とされ、美人絵や役者絵は禁止、販売方法や価格・使用色数などが制限された。

絵の中で人物や出来事などを直接描かず、他のものになぞらえて描き、絵解きさせるのが「判《はん》じ物」である。江戸が不況となるなか、浮世絵師の歌川国芳《うたがわくによし》（一七九八〜一八六一）は、天保十四年（一八四三）に三枚続の錦絵「源頼光公館土蜘作妖怪図《みなもとらいこうこうやかたつちぐもようかいをなすず》」【図1】を出版した。この絵は、平

図１　歌川国芳「源頼光公館土蜘作妖怪図」（個人蔵）

安時代の武将・源頼光が熱病で悩むある夜、土蜘蛛《つちぐも》の化物に襲われるも名刀膝丸で退け、配下の四天王（渡辺綱《わたなべのつな》・坂田金時《さかたのきんとき》・碓氷貞光《うすいさだみつ》・卜部季部《うらべのすえたけ》）に追わせ、根城の巣窟《そうくつ》で手負いの土蜘蛛を退治した土蜘作妖怪伝説に基づいている。この伝説は、何人かの浮世絵師が錦絵や絵草紙でテーマとしたが、この国芳作品は、実は絵の中に別の意味を隠した「判じ物」で時局を諷したものだと大評判になった。江戸の様々な情報を記載した『藤岡屋日記《ふじおかやにっき》』は、天保十五年（一八四四）正月十日の記事で以下のように伝える。

　○同十日
源頼光土蜘蛛の画《え》のこと
　去年八月、堀江町《ほりえちょう》伊場屋《いばや》が板元《はんもと》となり、歌川国芳は蜘蛛の巣の中に薄墨で百鬼夜行《ひゃっきやぎょう》を描いた。この絵は判じ物で、天保改革の際に罰を受けた南蔵院《なんぞういん》・門前の店頭《てんとう》・堺町《さかいちょう》名主《なぬし》・中山知泉院《ちせんいん》・隠《かく》れ娼婦《しょうふ》・女浄瑠璃《じょうるり》・女髪結《かみゆい》などを化物で描いたと噂《うわさ》になった。源頼光は将軍だ、四天王は御役人だと江

図2　歌川国芳「きたいな名医難病療治」（個人蔵）

戸では大評判。錦絵の板元は、絵を回収して板木も削ったため、板元や国芳には累《るい》は及ばなかった。

（鈴木・小池一九八八a：四一三頁）

［2］続く国芳の「判じ物」錦絵

国芳は嘉永三年（一八五〇）にも、三枚続の錦絵「きたいな名《めい》医《い》難病《なんびょう》療治《りょうじ》」【図2】を出版し、同年七月頃この絵は幕府上層部や大奥の人間関係を揶揄《やゆ》した判じ物である、とのうわさが立った。絵は売れに売れ、摺りは間に合わず、三枚六〇文《もん》であった売値は一分《ぶ》二朱《しゅ》にまではね上がった（南和男一九九七：一七〇頁）。岩下哲典氏は、「きたいな名医難病療治」は、江戸庶民のみならず、地方知識階級が、中央政界の動向を知る情報源にしていたことを明らかにしている（岩下：一九九五）。

三年後の嘉永六年（一八五三）にも、国芳の錦絵「浮世《うきよ》又平《またべえ》名《めい》画《が》奇特《きとく》」【図3】が評判となった。この作品は、「判じ物」ではなく、嘉永六年七月に中村座で市川小団治《いちかわこだんじ》が出演する「連《つれ》方便《かたより》茲《ここに》

図３　歌川国芳「浮世又平名画奇特」（個人蔵）

大津絵《おおつえ》」の歌舞伎興行を当て込んだもので、画中の大津絵の図像は当時の人気役者の似顔絵になっていた。ところがこの年六月三日にペリーが来航し江戸が騒然となるなか、「浮世又平名画奇特」が七月十八日より江戸市中で売れ始めると、内容について種々のうわさが立ったのである。例えば、浮世又平（右下の人物）の左上の若衆の左袖に「かん」と書いてあり、これは「疳症公方様《かんしょうくぼうさま》」と呼ばれた将軍徳川家定《とくがわいえさだ》である、などといった具合で、黒船来航を描いたとのうわさも立った。本作は、江戸で錦絵を制作販売した地本問屋《じほんどんや》の検閲を通った合法的な出版物であったため、国芳や板元にお咎《とが》めはなかった。しかし、錦絵出版を検閲する懸名主《かかりなぬし》を通して、「浮世又平名画奇特」の板木と在庫は没収され、八月には懸名主の総入替えが行われた。

南和男氏は『藤岡屋日記』の錦絵に関する記事を分析し、嘉永期に江戸で評判となった錦絵は二七点あり、このうち時事的・風刺的要素が加味された作品は一七点（約六二％）あり、さらにこの一七点のうち琉球使節の江戸入りなど、単に時事的なものは五点（二九・四％）に過ぎず

「絵師の意図の有無は別として、将軍や幕閣などを風刺しているとして民衆の興味をそそり、その評判の高まりで大いに売れた錦絵の合計は十二点（七〇・六％）を数える」と分析している（南一九九八：一七五～一七六頁）。

写真１　正受院奪衣婆像（新宿区指定文化財）

2、嘉永の流行神と錦絵

［1］正受院奪衣婆像が流行る

江戸や周辺地域では、なにかのきっかけで、ある神仏が突然流行し、熱狂的に信仰される「流行神《はやりがみ》」現象が何度か起こったが、嘉永二年（一八四九）、内藤新宿正受院《しょうじゅいん》の奪衣婆《だつえば》像・日本橋四日市の翁稲荷《おきないなり》が流行神となった。とくに正受院奪衣婆像には大勢が押しよせた。この奪衣婆像は、江戸時代には綿を納めて祈願すると、せきや歯痛が治ると信じられていた。現在も震災や戦災を免《まぬが》れ、新宿区の指定文化財となっている【写真1】。『巷街贅説《こうがいぜいせつ》』巻之六には、「三途川《さんずのかわ》老婆」の見出しで、奪衣婆像と翁稲荷に関する記事がある。

○三途川老婆

江戸大久保表番衆町西の南側に、芝増上寺《しばぞうじょうじ》の末寺で妙龍山《みょうりゅうさん》正受院という浄土宗の寺がある。小さな阿弥陀堂に焔羅王奪衣婆があるが、寂しい寺である。この奪衣婆像は享和・文化年間の頃に、子供の百日ぜきや大人のせきの治癒にご利益があるというので、参詣者があった。ところが段々と流行り、嘉永と改元された秋の頃から、諸願にご利益があると、遠くからの参詣が増えた。六の日が縁日で、月の三度は群衆で賑わい、人々はご利益の噂《うわさ》や色々な奇跡、霊験があることを伝え合っている。四月九日に新町の牡丹の花見ついでに正受院に寄ると、常の日なのに参詣者が多く、狭い堂内へ入るのは難しく、遠くから見て過ぎた。敷地はとても狭いが、お百度まいりの男女が十人ほど集まっている（中略）。奉納の綿売り、線香売り、水茶屋、粟餅団子茶屋、あれこれと商い屋台が多い。（中略）奉納の綿は、おびただしく厨子《ずし》のなかや外に積み重なり、供養の線香が煙っている、奉納幟《のぼり》は布や紙に「三途川老婆王」と書き記し、多数立ち並んでいる（中略）。日本橋四日市の翁稲荷も、この度は二度か三度目かの流行神になり、こちらも大勢が参詣している。この翁稲荷に奪衣婆像を取り合せて、さまざまな戯画《ぎが》の一枚摺が出版されて錦絵を売る見世先《みせさき》に、多くの人が足を止めている。

（森・北川監修　一九八一：一二九～一三一頁）

［2］流行神が錦絵となる

正受院奪衣婆像・日本橋翁稲荷は、同じころ両国回向院《えこういん》で出開帳《でかいちょう》されたお竹大日如来《たけだいにちにょらい》とともに錦絵に描かれた。先に引用した『巷街贅説』からも、奪衣婆像・翁稲荷の錦絵が江戸の絵草紙《えぞうし》屋で人気であったことが記されている。江戸幕府は、町のうわさ・時節めいた題材を、出版物で不特定多数の人々に売ることを堅く禁じていた。しかし実際には、奪衣婆像・翁稲荷の錦絵は現在まで二〇数点が確認されている。当時の江戸で最大の勢力であった浮世絵流派の歌川派絵師の作品が多く、なかでも国芳の作品が最も多く見られ、国芳が時事を扱った錦絵に精力的に取り組んでいたことが窺える。

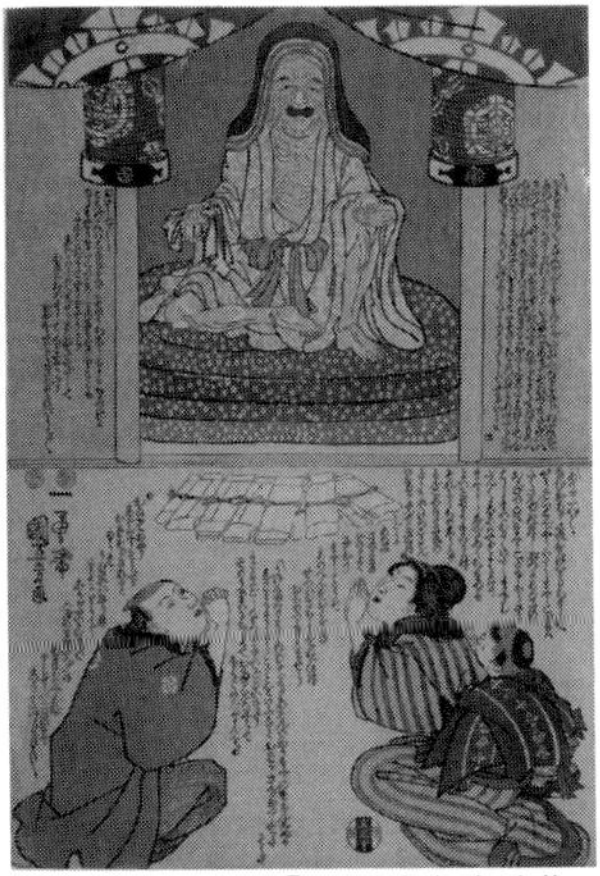
図4　歌川国芳「正受院奪衣婆像（仮題）」（個人蔵）

［3］戯画物の錦絵による時事の伝達

幕府が出版を厳禁した、時事的話題やうわさなどを、改《あらた》め（検閲）を通した錦絵で出版するため、国芳は「判じ物」ではなく「戯画」で描く手法をとった。国芳の錦絵【図4】は【写真1】との比較で一目瞭然であるが、奪衣婆像は写実的に描かれ、奪衣婆像を題材にした初期の作品と考えられる。国芳は実際に奪衣婆像を見て、錦絵の版下絵を描いたのであろう。奪衣婆像を中央に、下に子を連れた夫婦の願掛けを描き、絵の余白を埋めるかのように文言が書かれている。一部を読むと「ありがたやありがたや、なむ、お婆さま。お陰をもちまして、商売繁盛いたします。子どもは沢山できますし、じつにあなたのお陰でございます」などと、祈願がかなったことを喜ぶ文章である。そして木像であり、決して話すはずがない奪衣婆像が擬人化され「おれもいろいろな人の願を受けるが、大抵のことなら願いを聞いてやるが、なかには無理なことを言う奴がいる。それでも大部分はかなえてやります。（中略）商売に勢を出して、家内むつまじく、くどいようだが、親を大事にさえすればよしよし」などと話している。国芳は、写実的に描いた奪衣婆像と参拝者が祈願する図柄と戯文を用い、「庶民の願いを叶える奪衣婆像が大はやりである」という時事を伝えたのであった。

図５　歌川国芳「じいさんばあさんあねさん　りう行挙」（新宿歴史博物館蔵）

はやり神様を上部に描き、下で庶民があれこれ祈願する【図４】の図は、流行神を描いた錦絵でよく使われ、国芳以外の浮世絵師もこの絵柄で正受院奪衣婆像の流行ぶりを描いた。しかし、戯画の名人であった国芳は、ありきたりな表現に満足せず、さらに凝った絵に挑んでいった。

国芳は奪衣婆像を青い肌に黄色い襦袢《じゅばん》という配色で統一し、同じころに流行した日本橋翁稲荷とともに描いた。翁稲荷は奪衣婆像のように、実物をもとに図像化したものではなく、稲荷＝キツネの特徴を取り入れた国芳独自のアイディアである。

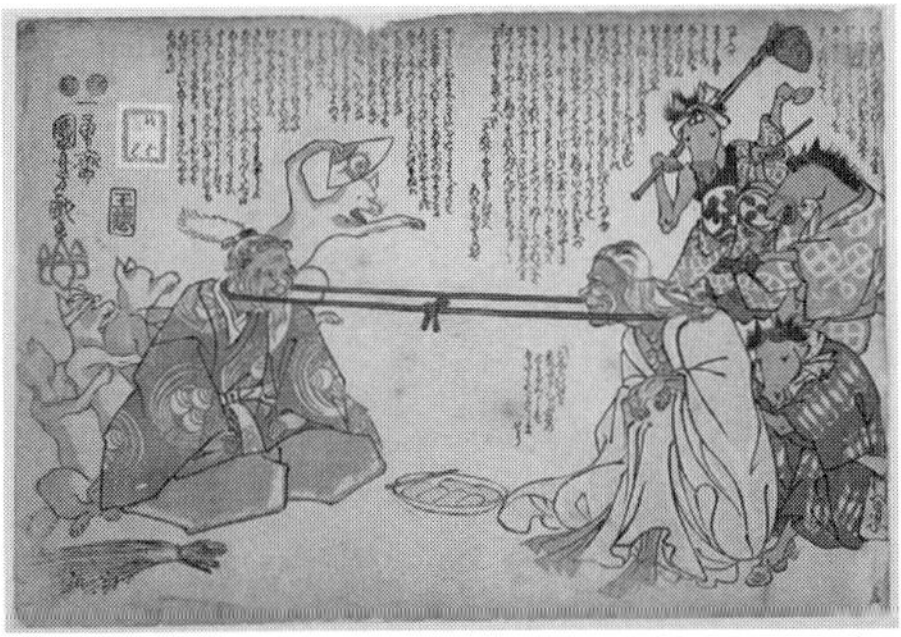

図6　歌川国芳「正受院奪衣婆像と日本橋翁稲荷の首ひき」（国立国会図書館蔵）

図7　歌川国芳「ひやうばんのばばや」（新宿歴史博物館蔵）

図8　歌川国芳「願かけに困る奪衣婆像（仮題）」（新宿歴史博物館蔵）

　国芳は木像である奪衣婆像と翁稲荷に表情を与え、当時大流行だった拳遊《けんあそ》びをさせる【図5】、首ひきをさせる【図6】、定型的な「流行神の図柄」に工夫を凝らす【図7】、多くの願を受け続け、困り果てた奪衣婆像にグチを言わせる【図８】など、モノである奪衣婆像や翁稲荷を活き活きと動かし、現代でいうならば「キャラクター化」を行ったといえよう。国芳は、秀逸な戯画と戯文を使い、実にわかりやすい錦絵としたのであった。国芳と版元はこれらの作品を次々と江戸で出版し、継続的に「流行神が大流行している」という時事を伝えたのである。

［４］正受院のその後

『藤岡屋日記』は、嘉永元年（一八四八）大晦日《おおみそか》ごろ、正受院では雑費を差し引いても一〇〇〇両の金が残り、翌年春には更に繁盛したと記している。そしてあまりの増長ぶりに、嘉永二年閏四月に寺社奉行が住持《じゅうじ》はじめ正受院の僧侶を残らず捕らえ、正受院は開門していたが、縄張りされ奪衣婆像への参詣は止められてしまった。

嘉永二年七月九日には、寺社奉行より正受院住職の舜海に沙汰が下された。懲罰理由は、正受院の前住職・宜俊が、奉行所へ無届けで石灯籠《いしどうろう》を建立したこと、正受院が多数の参詣者を目当てにした葭簀張《よしずばり》の水茶屋を野放しとしたこと、正受院の下男《げなん》たちが未使用の線香や奉納された幟を供えずに転売したことなどであった。なお、正受院前住職の宜俊は、前年の嘉永元年に住職を辞し、八〇〇両の金を持って岡崎に引退し、妻帯して質屋を営んでいたところを捕らえられた。ところが宜俊は浜松へと連行される際に出奔《しゅっぽん》し、行方知れずになってしまったという（鈴木・小池：

一九八八b、四八一〜四八五頁)。文献的に確認はできないが、「やり手」の宜俊であったから、版元や国芳に奪衣婆像の錦絵の出版を持ちかけ、人々の参詣を盛りあげた可能性も否定できない。

3、国芳の身辺調査

浮世絵師の歌川国芳とは、どのような人物だったのか。江戸町奉行所の隠密廻《おんみつまわ》りによる国芳の身辺調査記録が、嘉永六年八月の『市中取締類集《しちゅうとりしまりるいじゅう》　書物錦絵之部四』にある。

画師の歌川国芳は新和泉町《しんいずみちょう》の借家に住み、本名は孫三郎《まごさぶろう》で五六才。妻せゐは三八才、娘とりは一五才、よしは一二才、母親やすは七二才で、他に弟子が三〜四人同居している。国芳は先代歌川豊国《とよくに》の弟子で、歌舞伎役者の似顔の版下絵《はんしたえ》が主な稼ぎであったが、天保十二年以来の錦絵取締令で遊女・役者似顔絵が禁じられたので、国芳は武者絵・女絵・風景画の注文を受けた。これらの絵は江戸市中や地方での売れ行きが大きく減っていたが、国芳は才能があり「奇怪な図」の錦絵を売ると、さまざまな推測やうわさを生み、庶民が競って買い求め、版元や小売の絵草紙屋は格別のもうけを得た。そこで国芳に注文する版元が多くなった。(中略)うわさを生じさせた錦絵を絶版にすると、かえって求める者が多くなり、内々に摺り貯めておいた錦絵を高値で競って売るほどの人気で、版元も絵草紙屋も存外の利潤をあげる癖がつき、版元は国芳に「異様な錦絵の版下絵」を注文するようになった。

（東京大学史料編纂所：一九九四、一二三〇～一二三一頁）

同じく『市中取締類集　書物錦絵之部四』では、欄外の注として「踊形容の絵柄が許され、奇怪の図が止む。踊形容の似顔絵は、豊国が勝る」としている。当局が「異様な絵」（判じ物）が人気である状況を憂慮し、歌舞伎役者の踊り絵を許可すると、「判じ物」は出版されなくなり、三代歌川豊国による「（歌舞伎役者の）踊形容の似顔絵」の錦絵が人気になったことが記されている。国芳のライバル三代歌川豊国に版元からの注文が増えるなか、さらに『市中取締類集』欄外注では、「国芳が図柄を工夫し職分の衰微を防ごうとしている」と記し、国芳が「図柄の工夫」＝新しい錦絵の図柄を考えていたことがうかがえるのである。

4、風刺画の転換――「判じ物」から「戯画物」へ

天保改革のなか、江戸錦絵界は不況であったが、歌川国芳による絶版・摘発すらされかねない「判じ物」の錦絵は大当たりした。やがて嘉永期になると役者絵の禁令が緩み、三代豊国の錦絵が人気を盛りかえした。すると、役者絵では不利と見た国芳は、「判じ物」に続く新たな人気作品を生み出すべく、時事を戯画の連作で伝える錦絵を考案したのであった。正受院の奪衣婆像にしゃ

べらせる・拳遊びをさせる・人々の勝手な願望に困ってグチらせるなど、いわば「キャラクター」を使った錦絵を次々に出版し、江戸の巷でにわか神様が大評判となっていることを、継続的に伝えたのである。戯画で時事を伝える方法が錦絵の検閲を通った理由は定かではないが、むずかしい「判じ」を用いず、「事件をずばりと伝えた図像」を秀逸な戯画で描き、戯文と合わせて、「分かりやすい連作の錦絵」で時事を不特定多数に伝えた国芳の手法は大成功したのであった。

歌川国芳は水滸伝の英雄たちを描いた錦絵で人気絵師となり、「武者絵の国芳」とよばれたが、戯画の名手でもあった。国芳が嘉永期に考案した、絵解きのむずかしい単発の「判じ物」の錦絵ではなく、連作のわかりやすい「戯画物」の錦絵で時事を継続的に伝えた手法は、明らかに幕末錦絵の新傾向と考えられる。このアイデアは、「戯画の名人」の国芳であったからこそ為し得た、画期的手法であったといえよう。

参考文献
・森銑三・北川博邦監修「巷街贅説　下」(『続日本随筆大成　別巻』近世風俗見聞集10　吉川弘文館、一九八一年)
・鈴木棠三・小池章太郎『近世庶民生活史料　藤岡屋日記　第三巻』(三一書房、一九八八年 a)

・鈴木棠三・小池章太郎『近世庶民生活史料　藤岡屋日記　第三巻』（三一書房、一九八八年ｂ）
・稲垣進一・悳俊彦『国芳の狂画』（東京書籍、一九九一年）
・板橋区立郷土資料館『江戸の旅と流行仏―お竹大日と出羽三山―』（展示図録、一九九二年）
・鈴木重三『国芳』（平凡社、一九九二年）
・特別展江戸四宿実行委員会『江戸四宿』（展示図録、一九九三年）
・『大日本近世史料　市中取締類集　二十一　書物錦絵之部四』（東京大学出版会、一九九四年）
・岩下哲典「幕末風刺画における政治情報と民衆―歌川国芳「きたいな名医難病療治」にみる民衆の為政者像―」（大石慎三郎編『近世日本の文化と社会』雄山閣、一九九五年）
・南和男『江戸の風刺画』（吉川弘文館、一九九七年）
・南和男『幕末江戸の文化　浮世絵と風刺画』（塙書房、一九九八年）
・南和男『幕末維新の風刺画』（吉川弘文館、一九九九年）
・たばこと塩の博物館『拳の文化史　ジャンケン・メンコも拳のうち』（展示図録、一九九九年）
・富澤達三『錦絵のちから　時事的錦絵とかわら版』（文生書院、二〇〇四年）
・湯浅淑子「天保以降、判じ物タイプの風刺画はどのように見られたか～さまざま絵解きの例～」（『たばこと塩の博物館年報』２００６、二〇〇七年）
・岩切友里子『国芳』（岩波新書、二〇一四年）
・富澤達三「動く奪衣婆像―幕末錦絵の新傾向」（『松戸市立博物館紀要』第二六号、二〇一九年）

19

これからの歴史教育のために

『足利持氏血書願文』を一緒に読もう
——鎌倉地域の中世文書を教材化する試み——

風間　洋

対象地域
神奈川

1、はじめに

生徒A「先生、『足利持氏《あしかがもちうじ》』はテストに出ますか？」
生徒B「持氏は教科書では太字になってないから出ないよ。先生どうなの？」
教員（自分）「ハァ～（深いため息）。」

期末テスト直前の自習時間に飛び交った男子高校生の何気ない会話の一部である。生徒たちにとって「足利持氏」という人物への関心は、テストに出るか、出ないかの一点にある。もはや「足利持氏＝受験生を悩ます一用語」でしかないのだろう。歴史を学ぶ醍醐味を教えられない自身の力不足を痛感するばかりである。

生徒が学校で習う歴史を無味乾燥な科目としか感じられない一因として、「人物が活き活きと見えてこない」「自分とは関係ない遠い昔の出来事」等が挙げられる。こうした問題はつとに指摘され続け、歴史教員の間でもポスターや絵葉書、日記や古民具など、身近な資史料を用いる授業が多く行われてきた。しかし、教える時代が古代・中世となると、容易に入手が可能で、身近な素材というものはなかなか難しい。「数百年も前の人物が、生徒の頭の中で如何《いか》に活き活きと動き出すか……」。これは、教員側がどんな教材を用いて授業を展開するかに懸かっているだろう。

こうした試行錯誤の状況の毎日で、筆者は勤務校のある鎌倉周辺に遺《のこ》されている中世文書を教材に使用する試みを続けている。教員にとっても古文書は地味で、扱いも難しく敬遠しがちな教材である。しかし、中世文書には厳密な様式や書き方の決まりがあるため、細かい内容が読みとれなくても形式を見るだけで、差出人と受取人の人間関係がうかがえる。もちろん書面に人物の心情が吐露《とろ》される場合も多い。「どんな古文書（素材）ならば、生徒は食いついてくれるだろう?」などとあれこれ考えるのは、教員冥利《みょうり》に尽きるというものだ。やはり文献史料は歴史学の基本なのである。

ただし、教材に使用する文書は、崩し字読解の勉強ではないので、あまり文字を崩していない、生徒でもある程度読み取りやすいものを選んでいる。また、生徒が親近感を抱いて欲しいという観点から、学校周辺の地名や寺社名が登場する文書を採用するようにしている。身近な地域の古文書の中に源頼朝《みなもとのよりとも》や足利尊氏《あしかがたかうじ》など著名な人物が登場すると、生徒は中央の歴史の動きと地元の歴史を有機的に捉えてくれるのである。こうした点に留意して、室町時代の東国史を教える際に利用しているのが、鶴岡八幡宮所蔵「足利持氏血書《けっしょ》願文《がんもん》」である。

2、「足利持氏血書願文」

①《原文書》足利持氏血書願文【資料1】

②《翻刻》縦28・8×横39・3㎝　鳥の子紙

於于鶴岡

大勝金剛尊等身造立之意趣者、

為武運長久、子孫繁栄、現当二世

安楽、殊者為攘咒咀怨敵於未兆、荷

関東重任於億年、奉造立之也

永享六年三月十八日

従三位行左兵衛督源朝臣持氏（花押）

造立之間奉行

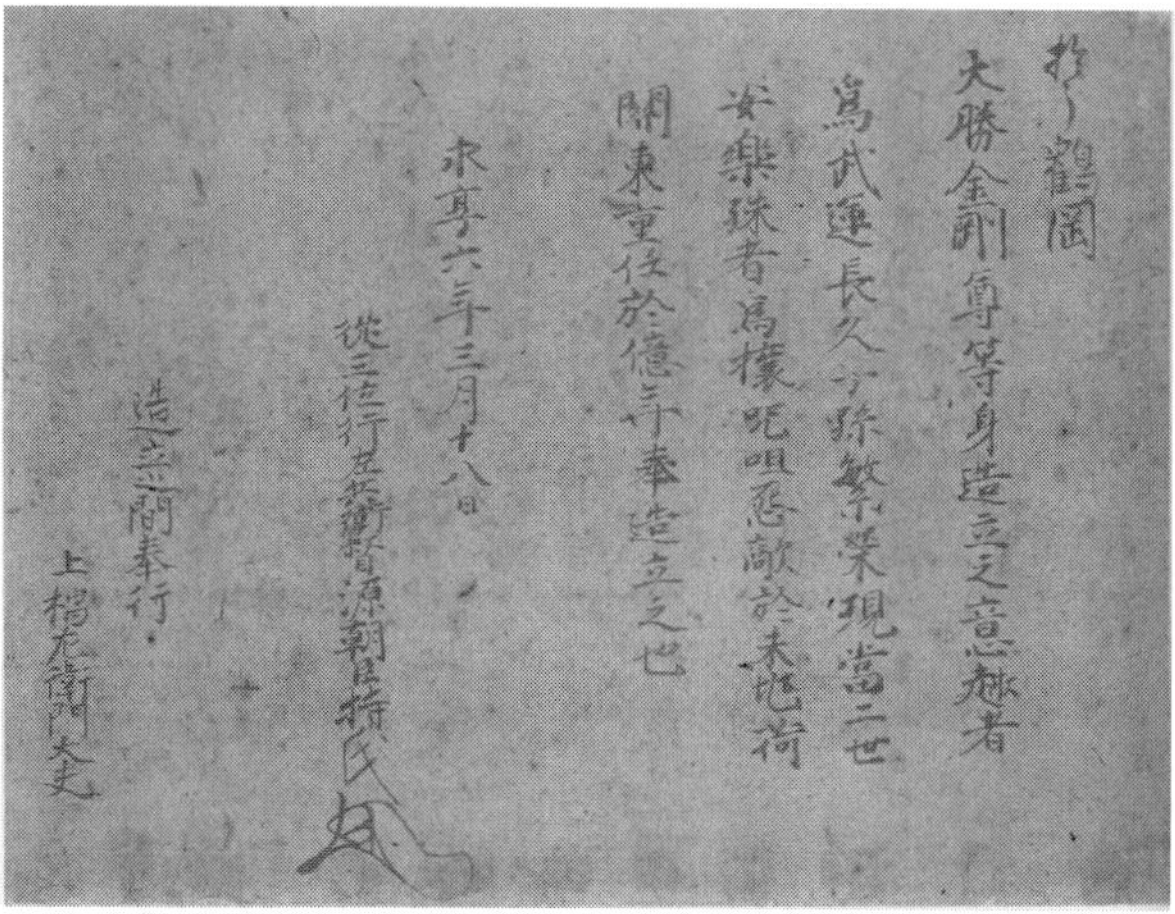
於于鶴岡
大勝金剛尊等身造立之意趣者
為武運長久子孫繁栄現当二世
安楽殊者為攘咒咀怨敵於未兆荷
関東重任於億年奉造立之也
永享六年三月十八日
従三位行左兵衛督源朝臣持氏
造立之間奉行
上椙左衛門大夫

資料１　「足利持氏血書願文」（『鶴岡八幡宮文書』鶴岡八幡宮所蔵）

上椙左衛門大夫

③《読み下し》

鶴岡に於《お》いて、大勝金剛尊等身造立《たいしょうこんごうそんとうしんぞうりゅう》の意趣は、武運長久・子孫繁栄・現当《げんとう》二世安楽の為《ため》、殊《こと》には咒咀《じゅそ》の怨敵《おんてき》を未兆《みちょう》に攘《はら》い、関東の重任《ちょうにん》を億年《おくねん》に荷《にな》わんが為《ため》、これを造立し奉《たてまつ》る也《なり》、

永享六年三月十八日、従三位行左兵衛督源朝臣持氏《じゅさんみぎょうさひょうえのかみみなもとのあそんもちうじ》（花押《かおう》）、造立の間の奉行《ぶぎょう》、上杉左衛門大夫《うえすぎさえもんたいふ》、

④《用語解説》鶴岡→鶴岡八幡宮寺。／大勝金剛尊→金剛界の菩薩の力を全て含んでいる仏で、その形は十二の腕を持ち大白蓮《びゃくれん》の上に座っている。大日如来や愛染明王《あいぜんみょうおう》の別名ともいわれ、古来この仏に対して祈願する法が行われていた。大勝とはあらゆる戦いに勝つ、金剛とはダイヤモンドのように固い、の意味がある。／現当→現在と未来。／咒詛→恨みに思う相手に災いが起こるように神仏に祈願すること。／怨敵→恨みのある敵。／未兆→未然のこと。

⑤《現代語訳》

鶴岡八幡宮寺に自分と等身大の大勝金剛尊像を造立する意図は、武運長久・子孫繁栄・現在と未来の心の安らぎ、とくに呪詛の怨敵を未然に攘うためであり、関東支配が億年にわたって続くようにこれを祈願し、造立奉るものである。

永享六年三月十八日　足利持氏（花押）

造立を務める間の奉行は上杉左衛門大夫。

室町時代に東国を支配した鎌倉府、その長官たる鎌倉公方の研究は、近年とみに盛んになってきている。四代公方の足利持氏についても研究書籍が刊行され、この「足利持氏血書願文」(以下「願文」とする)も広く周知されるようになった。しかし、すぐにその成果が歴史教育に反映されるとは限らない。ちなみに筆者の勤務校で使用している教科書の山川出版社『詳説日本史B』では、「……6代将軍**足利義教**は、将軍権力の強化をねらって専制的な政治をおこなった。1438(永享10)年、義教は関東へ討伐軍を送り、翌年、幕府に反抗的な鎌倉公方足利持氏を討ち滅ぼした(永享の乱)。……」(一三二頁)とあるだけで、「足利持氏」が登場するのは、この一度だけである(足利義教《よしのり》は太字だが、生徒が指摘の通り持氏は太字ではない)。どうしても教科書は、政権の所在する京都を中心とする記述が中心になってしまうため、多数の生徒は、鎌倉幕府が滅びたら、その後の鎌倉は衰退してしまったかのようなイメージを持っている。しかし、実際の東国では、室町幕府と拮抗《きっこう》する鎌倉府の下で統治が行われ、両府の間には政治的緊張が続いていたのである。だが、教科書に無いものねだりをしても仕方ない。あとは現場の教員が、どれだけ生徒に豊かな当時の東国の状況、そして持氏の人物像を提示できるかである。

3、生徒と一緒に「願文」を考える

「願文」は国の重要文化財『鶴岡八幡宮文書』の一部であり、当然実物を手にすることはできないが、幸い『神奈川県史　資料編3上』の付録として、精巧な実物大の複製がある。これを生徒に示して、一通の文書からうかがえる足利持氏という人物、最終的には室町時代の東国史を見通してもらうことを目的としている。まずは道筋を立てるため、生徒には［1］～［5］の項目を記したワークシートを配布して、順次考えてもらうようにした。

［1］外観～墨色・素材・大きさ～

まずは、何も言わずに「願文」複製を生徒に提示した。内容に入る前に文書の第一印象を大事にして欲しいためである。まず、多くの生徒は、そのインパクトのある朱文字に関心を示した。「朱書きだ」「血で書いたのかな?」「血で書いたのなら、時間が経てば黒く変色しているのではないか?」など、朱色＝血書と結びつけて考える生徒が圧倒的に多かった。また、黒墨で書く文書とは違って、朱色の文字で書くことが、この文書を記した人物の並々ならぬ意思を示していることは、生徒にも容易に理解できたようだ。

次いで、紙の色が少し黄色味を帯びていることに気付く生徒もいた。色が鶏卵に似ていることから鳥の子紙と呼ばれ、雁皮《がんぴ》を主原料として鎌倉時代から越前《えちぜん》などで生産されたことは既に教えていたのだが、気付いた生徒はいなかった（残念！）。改めて解説を加えると、「これが鳥の子（紙）の色か」という反応だった。用語としては知っているが、実際の紙の色を確認したのは、これが初めてだという。現在でも襖《ふすま》などに利用される鳥の子紙だが、生徒が実物を見たり、手にする機会が確実に減っていることを痛感する。同時にこの文書の大きさが、ほぼＡ３サイズの紙と同じくらいであり、それが中世で使用される書状の大体標準であること、また当時は紙が貴重品であり、大きさや厚さで権威の大きさを示すことも補足した。今後の授業では、紙質や大きさ、厚さの比較なども政治権力や権威との関連から生徒に考察させたいと思っている。

［2］誰から誰へ宛てて出されたものなのか？

歴史学での「文書」＝「差出人から受取人に何らかの意思を伝え、何らかの効力を及ぼすことを目的として書かれたもの」という定義をおさえて欲しかった。差出人や受取人の候補として「持氏」や「上椙（杉）左衛門大夫」といった人物の名前に気付いた生徒が多かったが、教員が「文書を受取る相手は人だけとは限らない」「文中の『武運長久』、『子孫繁栄』に注目」などのヒントを示すと、冒頭の「『鶴岡（八幡宮）』に出した祈願の文書だ」という結論にたどり着くことができた（「鶴岡」の二字から、勤務校から歩いてすぐの「鶴岡八幡宮」を想起してもらわないと教員側としては困ってしまう）。

ここで、ようやく差出人が四代鎌倉公方足利持氏という人物であり、朱墨に自らの血を混ぜて書いたと伝えられる鶴岡八幡宮寺に対して納めた願文である、という解説をし、同時に読み下し文と現代語訳を配布した（本来ならば、全ての解らない文字を辞典類で調べさせて意味も考えてもらうのが理想だが、時間の関係でこちらが解説を配布）。この時、源頼朝以来の鶴岡八幡宮が、武家にとってどんな存在であったのか、また当時は「鶴岡八幡宮寺」という寺院であったことに注意を促《うなが》した。日本固有の神仏習合については、奈良時代の授業で既習しているのだが、明治初年まで今の鶴岡八幡宮内に僧侶が多数住んで祈禱をしていたことが、現在の神社のイメージしか知らない生徒には想像できないらしい。この解説によって、「願文」中にある「大勝金剛尊」という「仏像」を何故持氏が造って祈願を依頼したのか、その理由も理解してもらえたようだ。

［３］どのような時代背景の中でこの文書は出されたのか？

この点が、古文書を用いる授業の中で、最も重要だと認識している。足利持氏がこの「願文」をしたためた時点で、持氏の周辺に何が起きていたのか、どんな政治状況だったのか。ここで参考資料として足利持氏と室町期の東国の政治状況を示した略年表を配布する【資料２】。

【資料２】年表には、持氏が誕生してから、永享の乱で滅亡するまでの持氏周辺と東国中心の政治状況を併《あわ》せて載《の》せている。生徒にはこの年表から「禅秀《ぜんしゅう》の乱以降、関東の諸豪族を征伐する

資料２　足利持氏関連年表

西暦	年号	月	周辺のおもな出事	年齢
1398	応永 5		この年、足利持氏、誕生。幼名幸王丸。	1 歳
1409	16	9	幸王丸（持氏）、四代鎌倉公方となる。	12 歳
1410	17	12	元服して持氏と名乗る。	13 歳
1412	19	3	持氏、花押の使用始める（御判始め）。花押Ⅰ型。	15 歳
1416	23	10	前関東管領上杉禅秀が反乱、持氏鎌倉を没落する（上杉禅秀の乱勃発）。	19 歳
1417	24	正月	幕府の支援を得た持氏、禅秀を滅ぼす（上杉禅秀の乱鎮圧）。	20 歳
			鶴岡八幡宮神主に凶徒退治の祈禱を命ずる。	
		2	甲斐の武田信満を攻撃、これを滅ぼす。	
		4	持氏、花押を改める。花押Ⅱ型。	
1418	25	4	上野の岩松氏残党を討伐する。	21 歳
1419	26	7	鶴岡八幡宮に天下安全祈禱を命ずる。	22 歳
1422	29	閏 10	常陸の山入氏を攻めてこれを滅ぼす。	25 歳
1423	30	6	鶴岡稲荷社へ凶徒退治の祈禱を命令。	26 歳
		8	常陸の小栗氏や真壁氏らを滅亡させる。	
1424	31	2	持氏、幕府に対して異心ない旨の誓約文を提出し、和睦する。	27 歳
1425	32	11	持氏、四代将軍義持の猶子となって上洛を望む。	28 歳
1426	33	正月	持氏、再び花押を改める。花押Ⅲ型。	29 歳
		8	甲斐の武田信長を攻撃し、これを降伏させる。	
1429	永享元（正長2）	3	六代将軍に足利義教が就任する。	32 歳
		6	持氏、下野の那須口や常陸に兵を派遣する。	
		12	鎌倉にて常陸の大掾氏を攻撃し、これを滅ぼす。	
1431	永享 3（正長4）	7	幕府と鎌倉府、再び和睦が成立。	34 歳
1432	永享 4	3	持氏、ようやく永享の年号を使用し始める。	35 歳
		9	将軍義教、富士遊覧に出発（持氏に対する圧力ヵ）。	
1434	6	3	持氏、鶴岡八幡宮に「呪詛怨敵」と記した血書願文を捧げる。	37 歳
1436	8		持氏、信濃国内の紛争に介入するため兵を派遣する。	39 歳
1438	10	6	持氏、関東管領上杉憲実の制止を無視して、子息賢王丸（義久）を元服させる。	41 歳
		8	持氏、関東管領上杉憲実を討伐するために、武蔵に出陣（永享の乱勃発）。	
		11	持氏軍、各地で幕府軍に敗北し、降伏。	
1439	11	2	持氏、子女らと共に鎌倉の永安寺にて自害。	42 歳
1440	12	3	持氏の遺児の春王丸・安王丸が下総結城城にて幕府に対し挙兵。（結城合戦）。	

黒田 :2016 中の植田真平氏作成の巻末年表をもとに加筆・修正のうえ作成

記事が多い」「年号の不使用など、幕府に対する敵対姿勢が以前から見える」「鶴岡八幡宮（寺）への祈禱が目立つ」などを読み取ってもらう。年表の補足として、「上杉禅秀の乱では、当初持氏は禅秀側に敗れて鎌倉を棄てて駿河《するが》に脱出し、のちに幕府の援助を得てようやく鎮圧することができたこと」「その後持氏が征伐している関東の豪族の多くが禅秀の与党であったこと」「一方、関東の豪族たちも持氏の苛烈《かれつ》な征伐に不満を持ち、鎌倉府が強大になることを警戒する幕府と結び付いたこと」「鎌倉府をけん制するために室町幕府も豪族たちを『京都扶持衆《ふちしゅう》』という形でひそかに支援していたこと」などを解説した。

そして、「『願文』中にある『呪詛の怨敵』とは誰を指すのだろうか？」と発問する。この願文の核心であり、当時の持氏の心象にも関わる問題である。生徒からは、「室町幕府か、将軍足利義教かな」「逆らう関東の豪族たち」という意見が多数で、中には「自分の関東の支配を邪魔する者たちすべて！」というのもあった。「怨敵」が諸豪族を指すのか、将軍義教を指すかは、解答などは無く、研究者でも意見が分かれていることを解説した。高校生でもきちんと当時の時代背景を理解させてあげれば、見慣れない文書史料でも、ある程度の解釈はできるのである。

［4］持氏の花押について

文書史料の人物像に迫る補足として、持氏の花押についても解説を加えた。冒頭で「願文」を掲げた際、生徒の中にこの花押に関心を示しているものも多かった。「花押ってサインのことだよ」と、歴史好きな生徒が周囲に説明していたように、知っている生徒が何人もいた。近年の戦国時代ブームで、有名武将の花押や印章をデザインしたキーホルダーやストラップなども販売されているらしい。「持氏の署名に対して花押が大きすぎる」「右側のふくらみが面白い」「勢いがある」などの感想が出された。教員から「花押も人それぞれに型や大きさ、筆の勢いなど、その人物の個性やその時の心境をある意味で象徴しているものと言われている」「花押の型も生涯の中で何回か変える人物もいて、花押を変えることが、その人物にとって重大な転機や意味を持つことが多い」との説明を加え、大きく分けて三種類（異説もあり）の持氏の花押の図版を配布した（【資料3】）。生徒たちには、特にⅡ型からⅢ型への変化に注目してもらった。「持氏がⅢ型に改変した時期は、応永三十三年（一四二六）正月といわれている。その理由は何だったのだろうか。これも現在の研究段階では決まった説はないんだ。興味がある人は詳しい参考文献を教えるから自分で調べて、その推理を聞かせて欲しい」と宿題にした。本当はこの場で生徒に考察させたかったのだが、時間の関係で打ち切らざるを得なかった。いずれ花押を教材とした授業実践も行ってみたいと思っている。

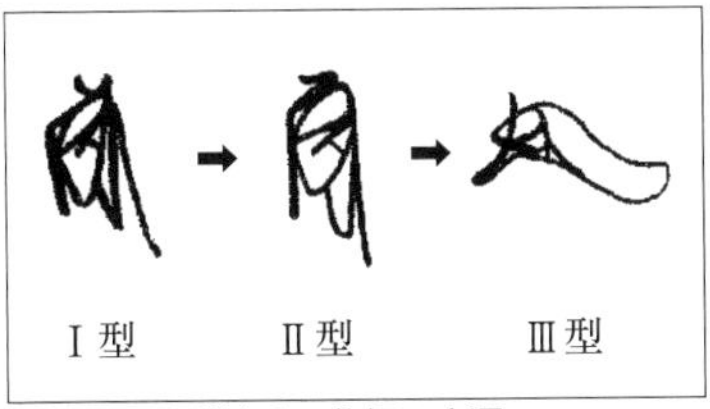

資料３　足利持氏の花押の変遷
（国史大辞典「足利持氏」の項目より）

［５］足利持氏という人物はどんな人だったと思う？

最後のワークとして、「願文」から通して見える足利持氏という人物像をまとめてもらう。「気性が激しい」「攻撃的な性格」「血を混ぜた願文なんて初めて見た。執念」など、予想通り持氏の激しい性格を指摘するものが多かった。先行研究の多くも、永享の乱で持氏が滅びた一因として、妥協を知らない直情的な性格を指摘する。一方で、「プライドがとても高い人だと思う。禅秀の乱は、持氏のプライドをとても傷つけたのではないか」「持氏の周囲の人間は、彼の暴走を止められなかったのだろうか」「独裁者の末路によくあるように孤立していたのではないか」「うまく立ち回ればよかったのに」「鎌倉府の方が室町幕府より正当な武家だと主張したかったのかもしれない（鎌倉は武家の本拠）」「鎌倉府を室町幕府から独立した政権にしたかった」など、こちらを唸《うな》らせるような感想もあった。固定観念の無い生徒の指摘は、教員を時々ハッとさせる鋭いものがあり、いつも楽しみである。もう少し教員が上手く関連資料を補足すれば、更に斬新な持氏像を描いてくれるかもしれない。

授業の終わりにはまとめとして、「教科書には何気なく『反抗的な鎌倉公方足利持氏』と記述されているが、歴史の研究とはこうした一点一点の史料を読む地道な作業と考察を重ねた上で、歴史を叙述していくんだぞ～」と（偉そうに）伝えることにしている。

4、おわりに

実践後の生徒の感想は、「板書中心の授業より、ワイワイ推理していく授業の方が面白い」「花押の変化は自分でも調べてみたい」など、好意的なものが多かった。生徒が一通の文書から、時代背景や歴史上の人物の心象を理解しようとする姿勢がうかがわれ、試みが無駄でなかったことにホッとしている。ただ、こうした授業は毎回できるものではなく、目の届く少人数授業や、クラブ活動で時折実施するだけである。四〇人以上の一斉授業などでは、やはり厳しい。今後の課題である。

近年発表された『学習指導要領』では、生徒自らが地域の資料を活用して課題を追究し解決する作業や、歴史の諸資料を整理・保存することの意味や意義、文化財保護への理解を求めている。近い将来、こうした歴史教育を受けた中高生が、地域の歴史研究や資料保存の担い手となってゆくのである。微力ではあるが、今後も使命感を持って生徒と一緒に地域の資料を読み進めていきたい。

参考文献

・『神奈川県史　資料編３上』（神奈川県企画調査部県史編集室、一九七五年）
・貫達人他編『鶴岡叢書第三輯　鮮明鶴岡八幡宮古文書集　影印篇』『同釋文・解説篇』（鶴岡八幡宮社務所、一九八〇年）
・佐藤博信「足利持氏の花押について」（佐藤博信著『中世東国の支配構造』所収、思文閣出版、一九八九年、初出は一九八三年）
・貫達人編『鎌倉国宝館図録三十五集　鎌倉の書Ⅱ　武人』（鎌倉国宝館、一九九六年）
・田辺久子『関東公方足利氏四代』（吉川弘文館、二〇〇二年）
・神奈川県立歴史博物館編『こもんじょざんまい―鎌倉ゆかりの中世文書―』（神奈川県立歴史博物館、二〇一三年）
・小島道裕『中世の古文書入門』（河出書房新社、二〇一六年）
・植田真平編著『シリーズ中世関東武士の研究二〇巻　足利持氏』（戎光祥出版、二〇一六年）
・黒田基樹編著『関東足利氏の歴史第４巻　足利持氏とその時代』（戎光祥出版、二〇一六年）
・笹山晴生ほか編著『詳説日本史Ｂ改訂版』（山川出版社、二〇一七年）
・文部科学省『高等学校学習指導要領』（二〇一八年三月告示）
・風間洋「中世鎌倉人に思いを馳せよう」（地方史研究協議会、『地方史研究』三九四号、二〇一八年）
・杉山一弥編著『図説　鎌倉府』（戎光祥出版、二〇一九年）
・谷口雄太「足利持氏願文は『血書』か」（鎌倉文化研究会、『鎌倉』一二七号、二〇二〇年）

あとがき

読者の皆さまに、シリーズ本『地方史はおもしろい』第一冊をお届けいたします。

本書の編者である地方史研究協議会は一九五〇年に誕生し、七〇年の活動を続けてきています。全国各地で生活する会員が地元に残された資料や、資料が残された地域の人々とともに活動を続けてきた七〇年といってよいでしょう。日頃の活動を詳しくお知りになりたいかたは、隔月発行の『地方史研究』の紙面をご覧いただければと思います（奥付をご参照ください）。

災害が頻発する昨今、被災した資料に向き合って地道に活動を行う人々も多くおられます。資料はそれを守りつづけた人々がおられたからこそ、今のわたくしたちにメッセージを届けてくれています。そうした資料を未来へ向けてバトンタッチしていく使命が現代を生きる私たちにもあります。

本書の執筆にエントリーしたメンバーも、地域の資料に向き合い続けて活動を続けてきました。こう限られた紙面のなかで、また本当に短い時間の中で集中的に執筆と校正をお願いしました。こうしたなかで、資料に魅せられた、そのおもしろさを余すところなく書いていただきました。執筆者のなかには夢のなかに原稿のことが出てきて、早朝にメールをくださった方もおられます。その話をお聞きし、それだけご自分と一体になって活動を続けてこられたその証であると改めて思い至った次第です。

「シリーズ刊行にあたって」と本書の序文にあたる「本書の歩き方」は、廣瀬良弘会長にお書きいただきました。そして、シリーズ第一冊の企画から編集にかかわったのは、地方史研究協議会、常任委員会内の企画・総務小委員会の精鋭メンバー九名です（ここではお名前を略しますが、会誌『地方史研究』を是非ともご覧いただきたいと思います）。メンバーで頻繁に連絡を取り合い、まさに精力的に活動した結果、本書は半年あまりで、読者の皆様にお届けすることになりました。

すでに地域の資料に何らかの形でかかわっておられる方にも、書店さんでふと手にとられて読者になってくださった方にも、本書にかかわったひとりとして、文字から溢れる資料への想いを受け取っていただければ、嬉しく思います。そして、本書はシリーズの一冊めですので、読者の皆様には、二冊め以降も楽しみにお待ちいただければと存じます。

色々な方々の協力を得て、お陰さまで刊行にこぎ着けた本書ですが、文学通信の岡田圭介さん・西内友美さんには、明るい社屋でお会いしたその日から、常に明るく伴走いただいて本書が出来上がりました。この場をお借りしまして、格別の感謝の気持ちを伝えます。

（地方史研究協議会　常任委員会　企画・総務小委員会を代表して、大嶌聖子）

執筆者紹介

山﨑久登（やまざき　ひさと）一九七七年生　都立砂川高等学校
主要業績『江戸鷹場制度の研究』（吉川弘文館、二〇一七年）
野本禎司（のもと　ていじ）一九七七年生　東北大学東北アジア研究センター
主要業績「近世後期旗本家の用人就任過程―江戸―周辺地域の視座から―」（大石学編『近世首都論―都市江戸の機能と性格―』岩田書院、二〇一三年）
新井浩文（あらい　ひろぶみ）一九六二年生　埼玉県立歴史と民俗の博物館
主要業績『関東の戦国期領主と流通』（岩田書院、二〇一一年）
山澤　学（やまさわ　まなぶ）一九七〇年生　筑波大学 人文社会系
主要業績『日光東照宮の成立』（思文閣出版、二〇一六年）
菅野洋介（かんの　ようすけ）一九七五年生　駒澤大学文学部歴史学科
主要業績『日本近世の宗教と社会』（思文閣出版、二〇一一年）
芳賀和樹（はが　かずき）一九八六年生　東京大学大学院農学生命科学研究科
主要業績「近世阿仁銅山炭木山の森林経営計画」（『林業経済』六四―七、二〇一一年）
鬼塚知典（おにつか　とものり）一九七三年生　春日部市郷土資料館
主要業績「古隅田川の一考察」（『埼玉考古』第五三号、二〇一八年）
伊藤宏之（いとう　ひろゆき）一九七二年生　台東区教育委員会生涯学習課
主要業績「「位牌」と呼ばれた板碑」（『論集　葬送・墓・石塔』狹川真一さん還暦記念会、二〇一九年）
荒木仁朗（あらき　じろう）一九七六年生　明治大学・中央学院大学
主要業績「日本近世農村における債務と証文類」（『歴史評論』第七七三号、二〇一四年）

平野明夫（ひらの　あきお）一九六一年生　國學院大學・駒澤大学
主要業績『徳川権力の形成と発展』（岩田書院、二〇〇七年）
生駒哲郎（いこま　てつろう）一九六七年生　東京大学史料編纂所図書部
主要業績『畜生・餓鬼・地獄の中世仏教史―因果応報と三悪道』（吉川弘文館、二〇一八年）
鍋本由徳（なべもと　よしのり）一九六八年生　日本大学通信教育部
主要業績「江戸時代、長崎唐人番・唐通事の記録などにみる日中関係」（『東アジア日本語教育・日本文化研究』第二二号、二〇一九年）
原　淳一郎（はら　じゅんいちろう）一九七四年生　山形県立米沢女子短期大学日本史学科
主要業績『近世寺社参詣の研究』（思文閣出版、二〇〇七年）
長沼秀明（ながぬま　ひであき）一九六二年生　川口短期大学こども学科
主要業績『尾佐竹猛研究』（共著、明治大学史資料センター編、日本経済評論社、二〇〇七年）
吉岡　拓（よしおか　たく）一九七八年生　明治学院大学教養教育センター
主要業績『民衆と天皇』（共著、高志書院、二〇一四年）
萩谷良太（はぎや　りょうた）一九七七年生　土浦市教育委員会
主要業績『図解案内　日本の民俗』（共編著、吉川弘文館、二〇一二年）
工藤航平（くどう　こうへい）一九七六年生　東京都公文書館
主要業績『近世蔵書文化論―地域〈知〉の形成と社会―』（勉誠出版、二〇一七年）
富澤達三（とみざわ　たつぞう）一九六七年生　松戸市立博物館
主要業績『錦絵のちから　時事的錦絵とかわら版』（文生書院、二〇〇四年）
風間　洋（かざま　ひろし）一九六七年生　私立鎌倉学園中学・高等学校
主要業績『おはなし日本の歴史9　鎌倉幕府と元寇』（岩崎書店、二〇一五年）

地方史研究協議会

地方史研究協議会は、各地の地方史研究者および研究団体相互間の連絡を密にし、日本史研究の基礎である地方史研究を推進することを目的とした学会です。1950年に発足し、現在会員数は1,400名余、会長・監事・評議員・委員・常任委員をもって委員会を構成し、会を運営しています。発足当初から、毎年一回、全国各地の研究会・研究者と密接な連絡のもとに大会を開催、また、1951年3月、会誌『地方史研究』第1号を発行し、現在も着実に刊行を続けています（年6冊、隔月刊）。

◆入会を希望される方は、事務局宛に下記URL内のフォーム、または郵送・FAXでお申込ができます。おって会費の振込用紙を送付いたします。
◆『地方史研究』の購読は、HPよりお申し込みください。

〒111-0032
東京都台東区浅草5-33-1-2F
地方史研究協議会事務局
FAX　03-6802-4129
URL：http://chihoshi.jp/

シリーズ●地方史はおもしろい 01
日本の歴史を解きほぐす
地域資料からの探求

編者　地方史研究協議会

2020（令和2）年4月30日　第1版第1刷発行

ISBN978-4-909658-28-9　C0221　

発行所　株式会社 文学通信
〒170-0002　東京都豊島区巣鴨1-35-6-201
電話 03-5939-9027　Fax 03-5939-9094
メール info@bungaku-report.com
ウェブ http://bungaku-report.com
発行人　岡田圭介
印刷・製本　モリモト印刷

ご意見・ご感想はこちらからも送れます。上記のQRコードを読み取ってください。

※乱丁・落丁本はお取り替えいたしますので、ご一報ください。
書影は自由にお使いください。